いとをかしき

絵・文
筧菜奈子

20世紀美術

いとをかしき

20世紀美術

絵・文
筧菜奈子

もくじ

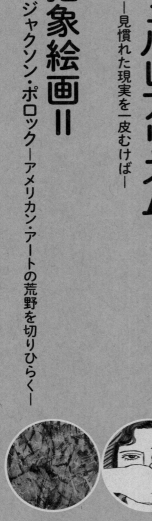

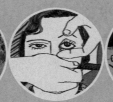

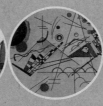

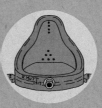

はじめに

みなさん
こんにちは

この本は20世紀の
西洋アートについて
解説した本で

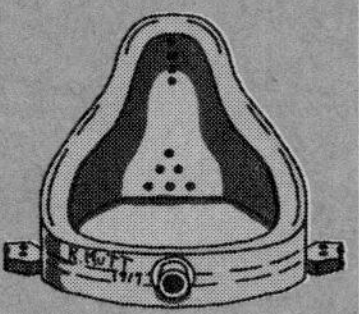

#01
マルセル・デュシャン

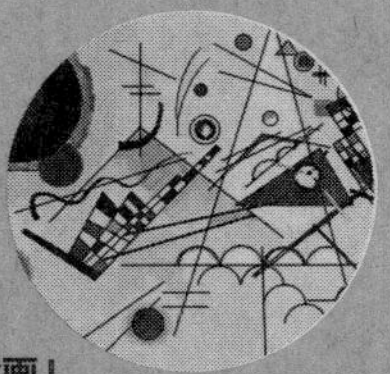

#02
抽象絵画 I
ワシリー・カンディンスキー

#03
シュルレアリスム

7章に分けて
作家や動向を
紹介しています

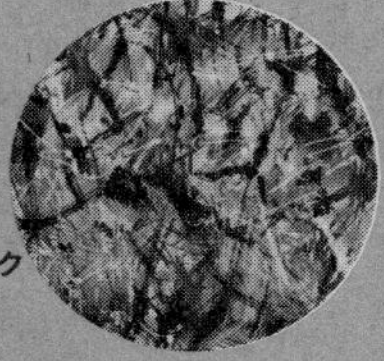

#04
抽象絵画 II
ジャクソン・ポロック

#05
ポップ・アート
アンディ・ウォーホル

#06
コンセプチュアル・アート
ヨーゼフ・ボイス

#07
ランド・アート／環境アート

なぜこの7章なのか

昨今AIによる
創作物が話題に
なっていますね

Midjourney

DREAM STUDIO

Dream by WOMBO

創作活動すら
機械に奪われてしまう
のではないかと
不安に思う声も聞かれます

実はこれと同じ問題は
20世紀の初めにも
起きていたのです

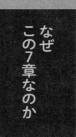

当時は
機械生産が本格化して
人間の手仕事が機械にどんどん
置き換わっていった時代でした
アートも
例外ではありません
肖像画や風景画は
写真に置き換わり
工芸や建築の意匠も
機械による
大量生産品に
置き換わっていきました
では20世紀以降
アートは
必要なくなった
のでしょうか？
そんなことは
なかったのです
20世紀のアーティストたちは
時代の変化を受け入れながら
まったく新しいアートを
創り上げていきました
こうした発想は
21世紀のアートにとっても
ヒントになるはずです
そこでこの本では
20世紀のアートの中でも
特に面白い試みをしている
動向や作家たちを取り上げ
7章に分けて
紹介することにしました
実は
この本には
もう1つ
テーマがあります

それは
日本の文化と
現代アートの
親和性を探ることです
しかし
日本の文化を
よく見てみると
現代アート顔負けの
突飛な発想や規模を
持つものが多くあります
20世紀以降のアートは
日本にとっては異質で
受け入れづらいものと
考えられてきました
実は日本人は
現代アート的なことが
好きなのではないか
そうした考えから
この本の舞台を
京都としました
案内をしてくれるのは
京都の大学生たちです
研究者になりたい
学生
若桑あお（18）
この春K大学に入学した。
日本美術の研究者を目指しており
現代アートは食わず嫌い。

作家になりたい
美大生たち
佐々木真希（19）
K市芸術大学2回生。
コンセプトを重視した作風を模索中。
江藤じゅん（19）
K市芸術大学2回生。
油絵を制作しており
抽象表現が気になっている。
江藤ゆみ（18）
K市芸術大学1回生。
じゅんの妹。書道パフォーマンスの
経験を活かした絵を描きたい。
アートの発想方法に
関心を抱いている学生
吉本りゅう（18）
K大学で法学を学ぶ1回生。
アートの発想方法に
精神の安らぎを見出している。
それぞれが
作家や作品に向き合いながら
自分の考えを深めていきます

20世紀のたくさんの
作家や作品について
知るとともに

彼らの探究にも
どうぞお付き合いください

1

マルセル・デュシャン

—アートの定義をひっくり返せ—

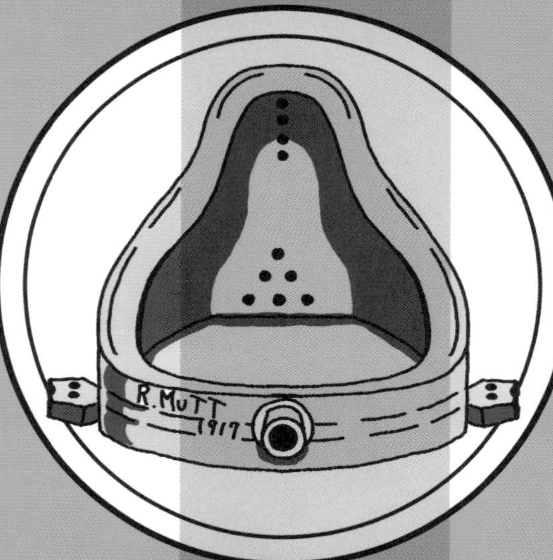

京都・
蓮華王院《れんげおういん》
三十三間堂
湛慶《たんけい》作　国宝
《千手観音坐像》
（鎌倉時代）
あー……やっぱり
本物は最高だ……
K大学1回生
若桑《わかくわ》　あお

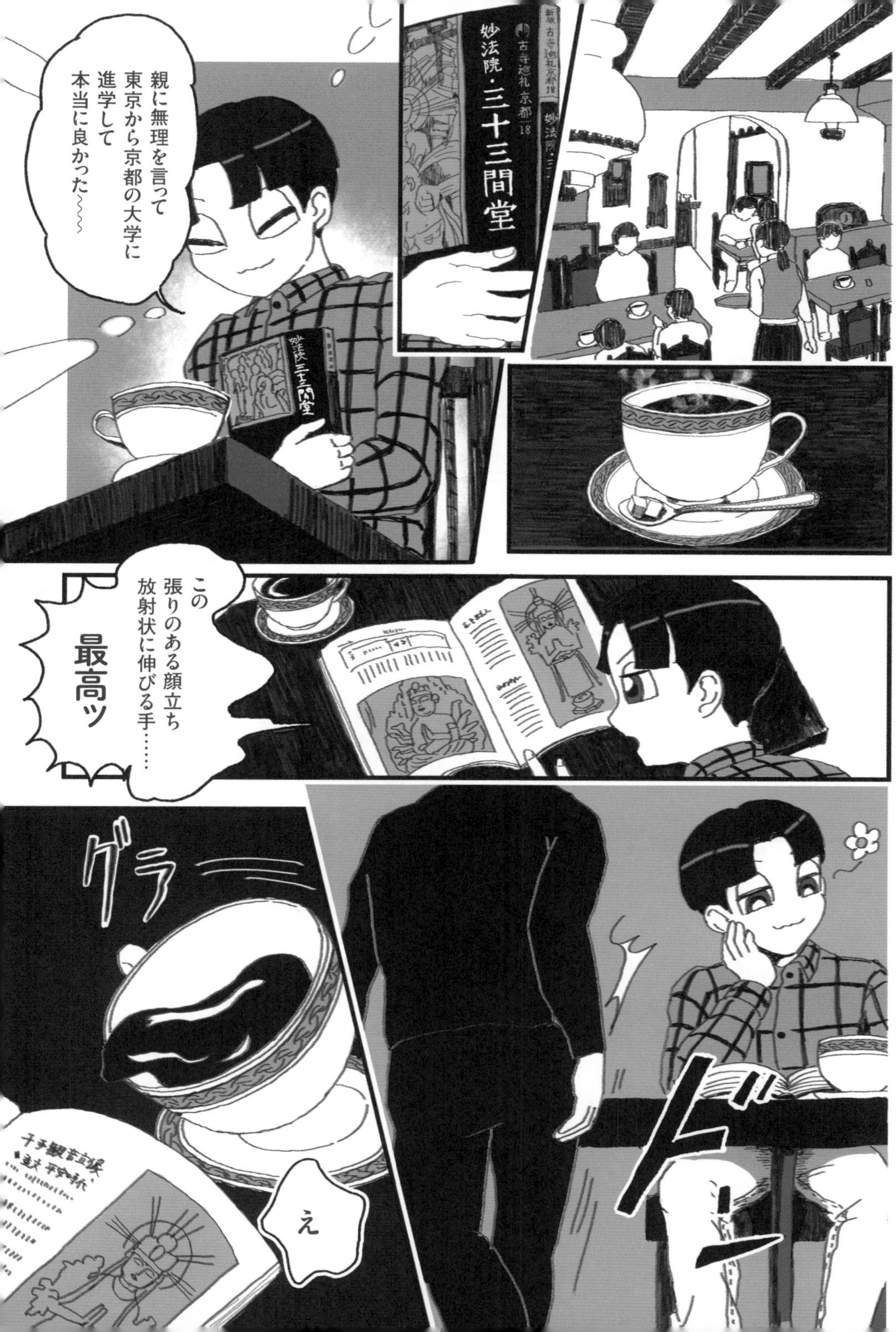
新版 古寺巡礼 京都18 妙法院・三十三間堂
古寺巡礼 京都 18
妙法院・三十三間堂
親に無理を言って 東京から京都の大学に 進学して 本当に良かった〜〜〜
この 張りのある顔立ち 放射状に伸びる手……
最高ッ
ド
グラ
え

ドバー
あ〜〜〜
スマンスマン!!
服は汚れてへん?
大丈夫ですかぁ〜
おおきにっ
あー本はびちゃびちゃやなぁ
あれっ
これ古寺巡礼シリーズの三十三間堂やん
ワシも持ってるから交換できるわ
良かった〜〜
えっ
仏像とか好きなの?
好き好き古美術全般好きやで
仏像は目の表現がええよな

今、知恩院でも
釈迦牟尼坐像《しゃかむにざぞう》の
特別公開しとるで
うわ
そういう情報
僕、京都来たばかり
だから助かる
……なんや自分
めちゃくちゃ仏像
好きやん
大学生？
この春から
K大の1回生
芸術の研究者に
なりたくて
名前は
若桑《わかくわ》 あお
そうなんや!!
ワシは
佐々木《ささき》 真希《まき》
K市芸大の学生で
作家志望なんやけど
本を交換する
ついでに
作品みてくれへん!?
う、うん

ジャーーン
盆管
佐々木真希
え…
何コレ…
捨てられてた配水管を組み合わせて作ったんや!
どやカッコイイやろ
これ…工業製品だよね?作られた物をただ組み合わせただけ?
絵を描いたり木を彫ったりしないの!?

あーまー そういう表現するやつも おるけど
ワシはほとんど既製品組み合わせて作品にしとるなぁ
そんなの芸術じゃないッ! ダ・ヴィンチにあやまれ!
ダ・ヴィンチて君…… なんで500年前の イタリア人に あやまらなあかんねん
ポン
どうやら、あおくんは古いタイプの芸術が好きみたいやけど
アートはマルセル・デュシャンから180度変わったやろ??
……デュ?
なんや自分 デュシャン 知らんの?

そんなんで研究者になれるん?
南総合図書館
ドサ
ドサ
ドサ
デュシャンは語る
DUCHA
ふーーん デュシャンね
まあ僕は日本美術の研究者を目指してるから別に知らなくても問題ないと思うけど一応ね
ぶつぶつ
DUCHAMP
えーと
マルセル・デュシャン 1887年にフランスの裕福な家庭に生まれ
兄弟も画家や彫刻家になるなど芸術に囲まれて育つ

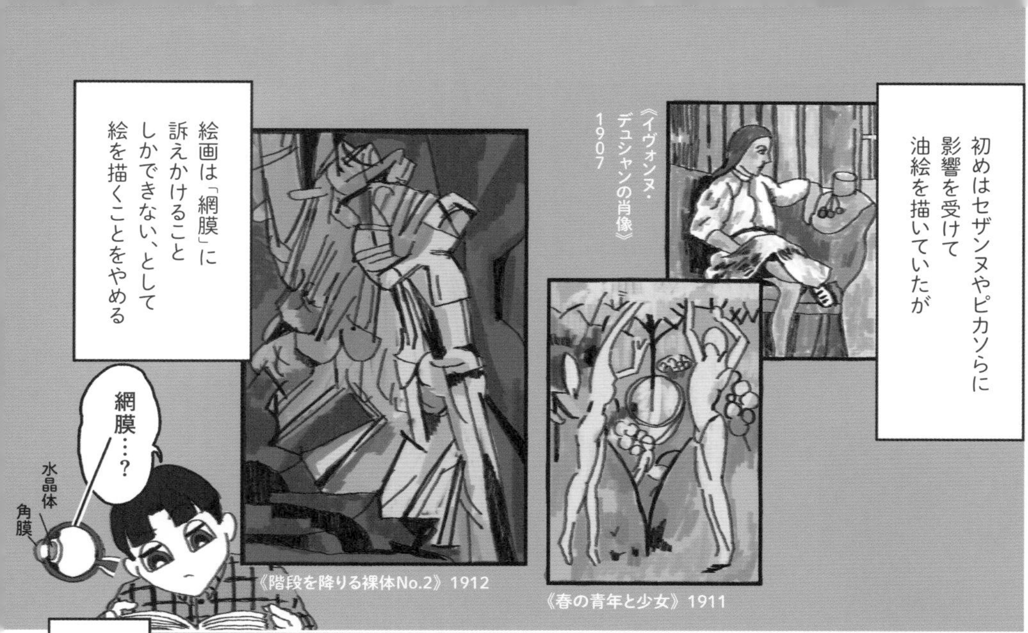
初めはセザンヌやピカソらに影響を受けて油絵を描いていたが
絵画は「網膜」に訴えかけることしかできない、として絵を描くことをやめる
網膜…？
水晶体
角膜
《イヴォンヌ・デュシャンの肖像》1907
《階段を降りる裸体No.2》1912
《春の青年と少女》1911

デュシャンはこう述べる

クールベ以来*、絵画は網膜に向けられたものだと信じられてきました。
誰もがそこで間違っていたのです。網膜のスリルなんて！
以前は、絵画はもっと別の機能を持っていました。
それは宗教的でも、哲学的でも、道徳的でもありえたのです。

（マルセル・デュシャン『デュシャンは語る』岩佐鉄男・小林康夫訳、ちくま学芸文庫、1999年、82頁）

＊ギュスターヴ・クールベ（1819〜1877、フランス）：現実の光景を美化せずに描く写実主義絵画の創始者

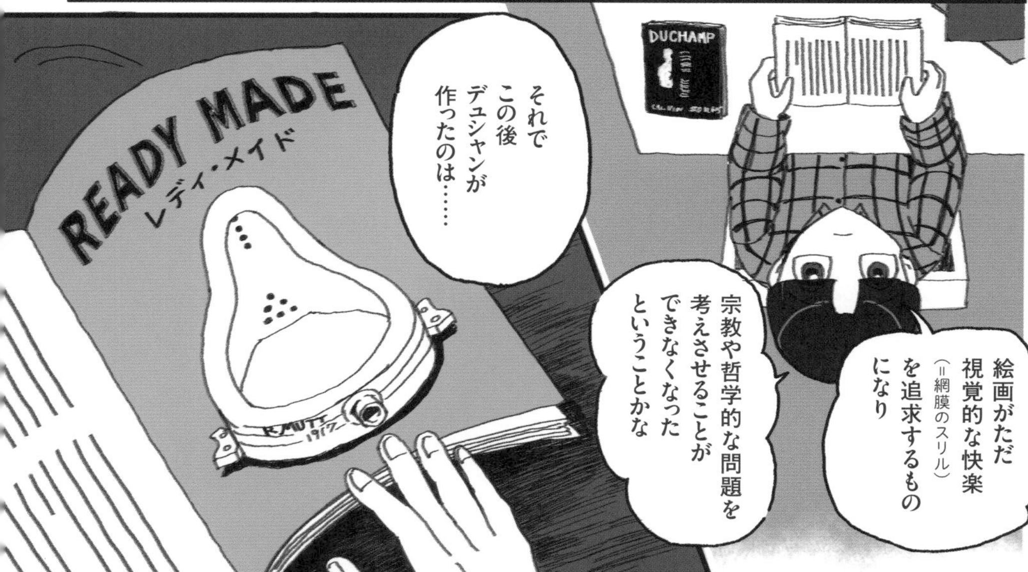
それでこの後デュシャンが作ったのは……
READY MADE
レディ・メイド
DUCHAMP
絵画がただ視覚的な快楽（＝網膜のスリル）を追求するものになり
宗教や哲学的な問題を考えさせることができなくなったということかな

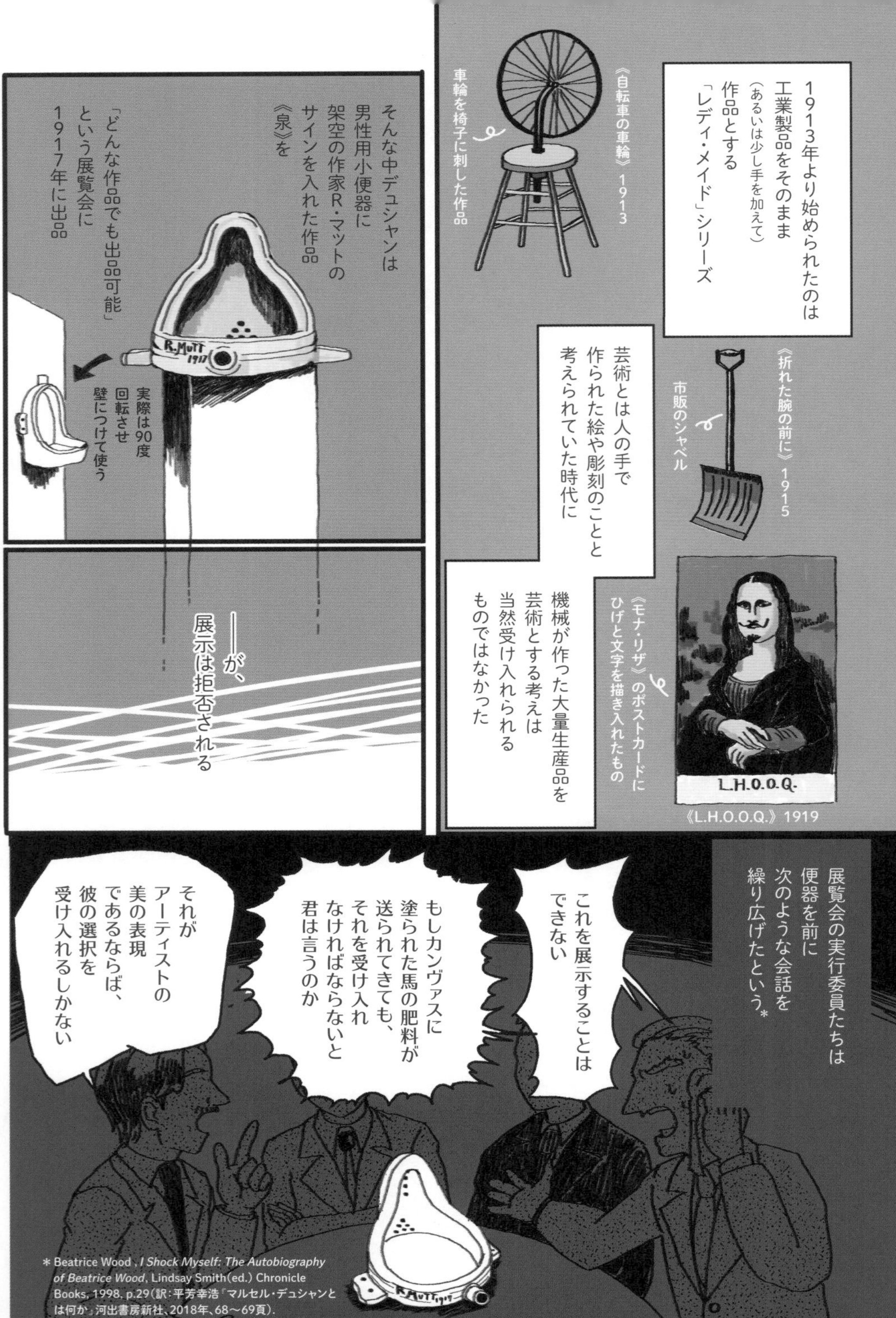
1913年より始められたのは
工業製品をそのまま
（あるいは少し手を加えて）
作品とする
「レディ・メイド」シリーズ
《自転車の車輪》1913
車輪を椅子に刺した作品
《折れた腕の前に》1915
市販のシャベル
芸術とは人の手で
作られた絵や彫刻のことと
考えられていた時代に
機械が作った大量生産品を
芸術とする考えは
当然受け入れられる
ものではなかった
《モナ・リザ》のポストカードに
ひげと文字を描き入れたもの
L.H.O.O.Q.
《L.H.O.O.Q.》1919
そんな中デュシャンは
男性用小便器に
架空の作家R・マットの
サインを入れた作品
《泉》を
「どんな作品でも出品可能」
という展覧会に
1917年に出品
R.MUTT 1917
実際は90度
回転させ
壁につけて使う
――が、
展示は拒否される
展覧会の実行委員たちは
便器を前に
次のような会話を
繰り広げたという。*
これを展示することは
できない
もしカンヴァスに
塗られた馬の肥料が
送られてきても、
それを受け入れ
なければならないと
君は言うのか
それが
アーティストの
美の表現
であるならば、
彼の選択を
受け入れるしかない
R.MUTT 1917

＊ Beatrice Wood , *I Shock Myself: The Autobiography of Beatrice Wood*, Lindsay Smith(ed.) Chronicle Books, 1998. p.29（訳：平芳幸浩『マルセル・デュシャンとは何か』河出書房新社、2018年、68～69頁）.

その後、オリジナルの《泉》は消失——
そのため現在は写真やレプリカを通してしか作品を知ることはできない
《泉》に対する解釈
その①「見立て」
ある物体に「新しい見方」を与える
《泉》への批判に対してデュシャンは匿名で次のような文章を発表している

マット氏が自らの手であの《泉》を作ったかどうかは重要ではない。彼はそれを選んだのだ。彼は平凡な日用品を取り出し、新しい題名と観点の下に置くことで、本来もっている実用的な意味が消えるようにしむけた。つまりあの物体に対して新しい思考を作り出したのだ。

Duchamp(unsigned), "The Richard Mutt Case," *The Blind Man*, Vol.2, 1917, p.5
(訳：平芳幸浩「マルセル・デュシャンとは何か」前掲書、70頁).

便器を《泉》という芸術作品にすることで排泄物処理の道具という意味を消したってことか

でも千利休が魚入れの籠《かご》を花入れに見立てて茶道具としたのと似てるかも
そう考えたらまあ…

実際、便器の形を「仏陀」に見立てる評論も生まれた*
R.MUTT 1917
便器と仏陀を繋げるなんて……

* Louise Norton, "Buddha of the Bathroom," *The Blind Man*, Vol.2, 1917, pp.5-6.

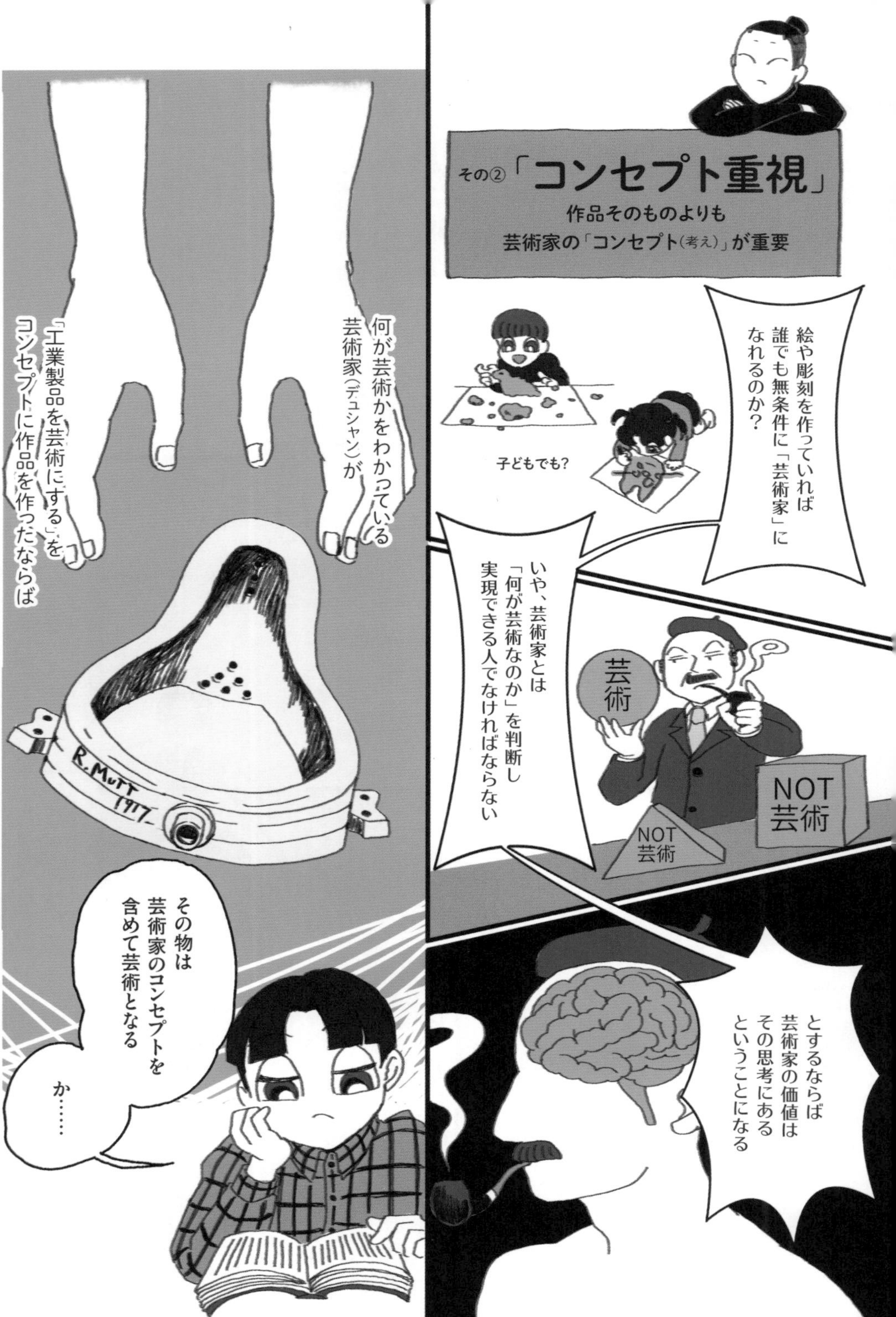
その②「コンセプト重視」
作品そのものよりも
芸術家の「コンセプト（考え）」が重要
絵や彫刻を作っていれば誰でも無条件に「芸術家」になれるのか？
子どもでも？
いや、芸術家とは「何が芸術なのか」を判断し実現できる人でなければならない
芸術
NOT芸術
NOT芸術
とするならば芸術家の価値はその思考にあるということになる
何が芸術かをわかっている芸術家（デュシャン）が
「工業製品を芸術にする」をコンセプトに作品を作ったならば
R.MUTT 1917
その物は芸術家のコンセプトを含めて芸術となる
か……

その③「芸術の定義を拡張した」
便器も芸術であるならば
すべてのものが芸術になりうる?
デュシャンがレディ・メイドを制作した20世紀初めは機械による大量生産が推し進められた時代
もはや機械の方が精巧な物を作る時代に人間が作るべき芸術とは何か?
このプロペラ以上のものを誰が作れるというんだ!＊
＊デュシャンが友人の彫刻家に語ったとされる言葉
そこでデュシャンが試みたのは芸術の定義を拡張して新しい芸術を作り出すことだった
「芸術」ではない作品を作ることは可能か?＊
それで選ばれたのが「手仕事による美しい物」の真逆にあたる「機械生産の便器」だったのか
新芸術
?

＊参照：ミシェル・サヌイエ編「マルセル・デュシャン全著作」北山研二訳、未知谷、1995年、152頁

レディ・メイドシリーズと並行して
1915〜23年に
取り組まれたのが
通称「大ガラス」の制作
作品の正式名称は
《花嫁は彼女の独身者たちに
よって裸にされて、さえも》
高さ277・5㎝、幅177・8㎝の
透明なガラスに油絵具や埃、
金属板が貼り付けられている
ガラス面のヒビは
運搬途中に
入ってしまったものだが
デュシャンはその偶然を
喜んで受け入れたという
作品を見ただけでは
理解不可能な
大ガラスであるが

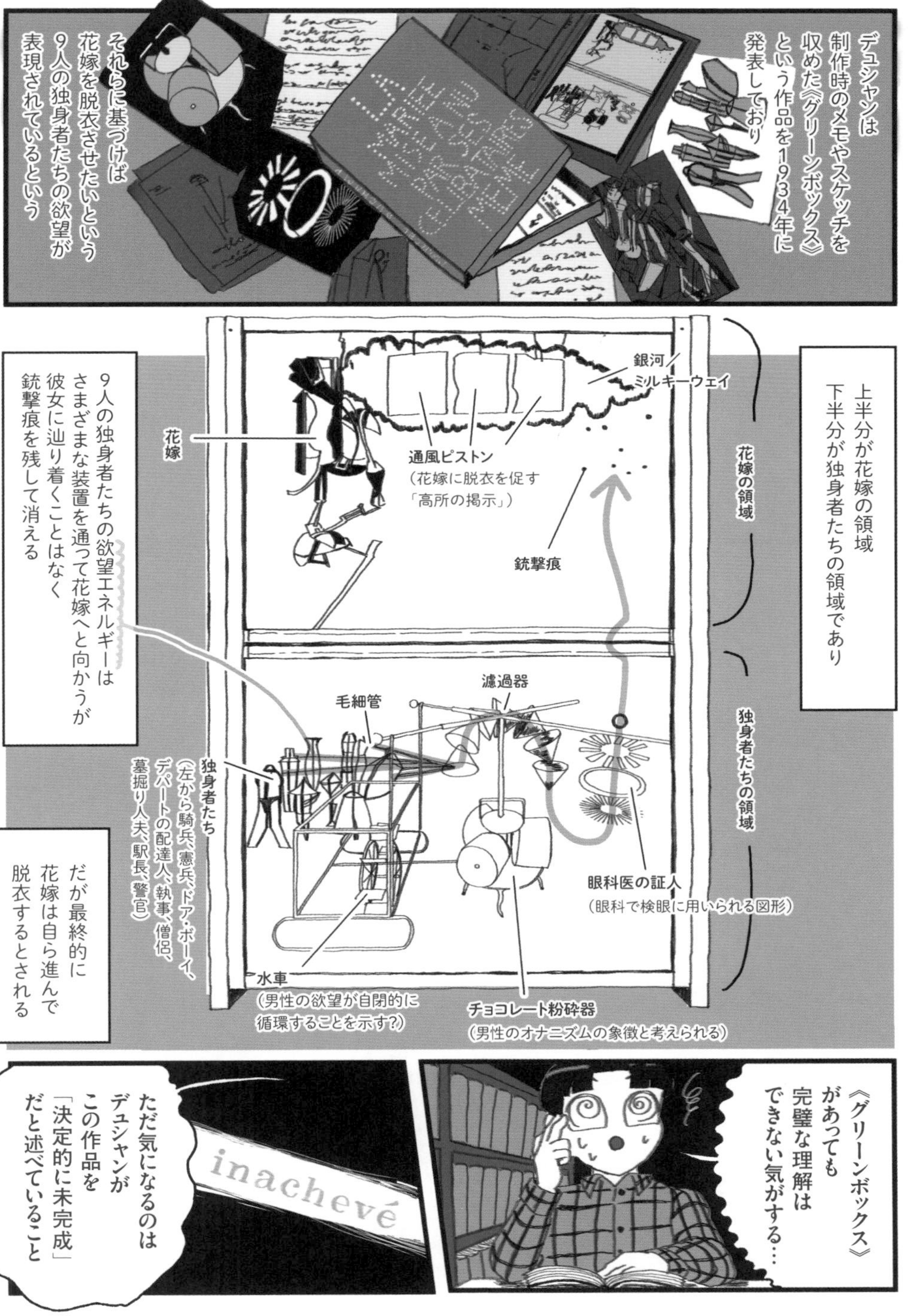
デュシャンは制作時のメモやスケッチを収めた《グリーンボックス》という作品を1934年に発表しており
それらに基づけば花嫁を脱衣させたいという9人の独身者たちの欲望が表現されているという
上半分が花嫁の領域 下半分が独身者たちの領域であり
花嫁の領域
独身者たちの領域
銀河
ミルキーウェイ
通風ピストン
（花嫁に脱衣を促す「高所の掲示」）
銃撃痕
花嫁
9人の独身者たちの欲望エネルギーはさまざまな装置を通って花嫁へと向かうが彼女に辿り着くことはなく銃撃痕を残して消える
濾過器
毛細管
眼科医の証人
（眼科で検眼に用いられる図形）
独身者たち
（左から騎兵、憲兵、ドア・ボーイ、デパートの配達人、執事、僧侶、墓掘り人夫、駅長、警官）
だが最終的に花嫁は自ら進んで脱衣するとされる
水車
（男性の欲望が自閉的に循環することを示す？）
チョコレート粉砕器
（男性のオナニズムの象徴と考えられる）
《グリーンボックス》があっても完璧な理解はできない気がする…
ただ気になるのはデュシャンがこの作品を「決定的に未完成」だと述べていること
inachevé

作品をつくる者という極があり、それを見る者という極があります。私は、作品を見る者にも、作品をつくる者と同じだけの重要性を与えるのです。

（マルセル・デュシャン『デュシャンは語る』前掲書、143〜144頁）

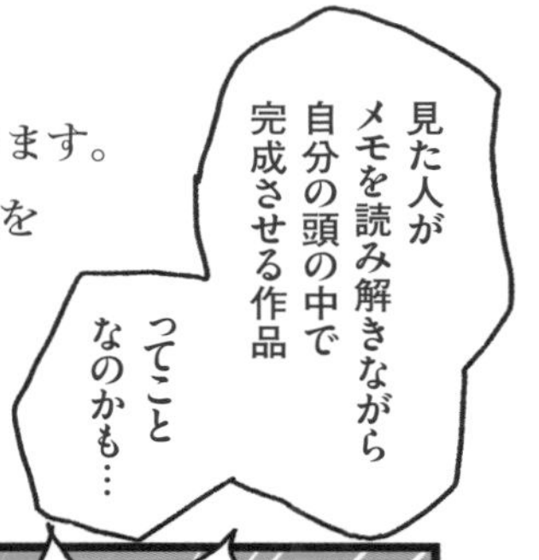

＊ “The Next Rembrandt,” presented by ING, 2016.
（https://www.nextrembrandt.com/）

人工知能は ここまで進化 したんですね〜
人間がこのレベルの絵を描こうとしたら途方もない年数修業をしなきゃいけないのに…
もはや機械によって絵画も創作できてしまう
今、絵を描く意味ってなんだろう――
って思ったなー
デュシャンはこういう事態を見越して芸術の枠組みを広げてくれたのかも
――機械は絵や立体を作ることができても「何が芸術か」を考えることはできない

そこでデュシャンは
人間の思考の働きを
芸術と考えたわけだが
これまでの
芸術とは違う
「芸術 PART2」が
始まったって感じだな〜
デュシャンが切り拓いた
この新しい芸術観が
後の時代の芸術を
豊かな混沌へと導いたのであった
ヴヴヴヴ
15:56
4月12日 月曜日
Message
From: 佐々木真希
新作できました

?
TAP
佐々木 真希
15:56
タイトル《鯨》
15:57
既読
さ
……は？
ピロリン♪
おっ返信
そういうことじゃないと思う
まっ学ぶは真似ぶっていうてなー……
最新の便器高かったんやで……
#01 Fin

デュシャン生涯年表

1887

0歳

フランス北部
ノルマンディ
で誕生

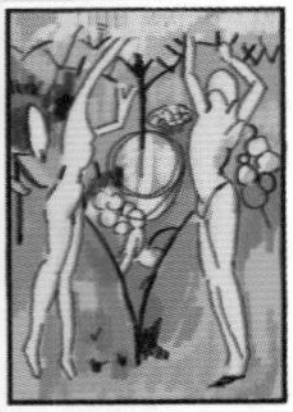

《春の青年と少女》
1911

15歳

油絵の制作
を始める

30歳

《泉》発表

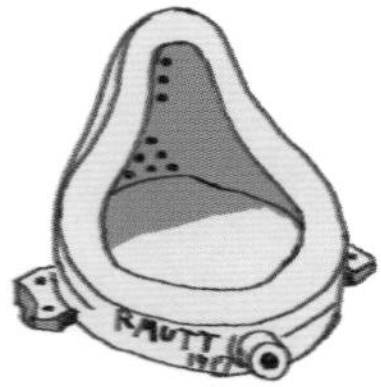

33歳

女装した姿
（命名：ローズ・セラヴィ）
で写真撮影

47歳

《グリーンボックス》
（「大ガラス」の
制作メモ）刊行

53歳

ヨーロッパから
ニューヨークへ
移住

59歳

遺作
《与えられたとせよ
1. 落ちる水
2. 照明用ガス》
を極秘に制作開始

《階段を降りる裸体No.2》1912

油絵の制作をやめる

25歳

《自転車の車輪》1913

26歳

「レディ・メイド」シリーズ制作開始

28歳

「大ガラス」制作開始
ヨーロッパからニューヨークへ移住

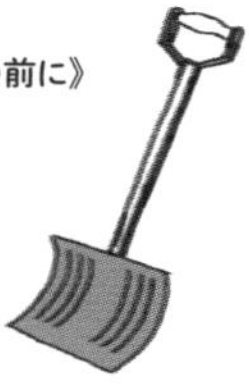

《折れた腕の前に》1915

36歳から53歳まで表向きは制作をやめていたんや

36歳

「大ガラス」完成
ニューヨークからヨーロッパへ移住
チェス・プレーヤーに転身
芸術作品の制作をやめる

37歳

チェスの大会にフランス代表で出場（18カ国中7位の成績）

39歳

「大ガラス」輸送中にヒビが入る

79歳

「遺作」完成

1968
81歳

墓碑銘「されど、死ぬのはいつも他人」
MALCEL DUCHAMP

死去
「遺作」発表

デュシャンの女性人格「ローズ・セラヴィ」

マン・レイ撮影
《ローズ・セラヴィ》
1921

市販の香水瓶のラベルに
ローズ・セラヴィの写真を
貼り付けた
レディ・メイド作品

《ベラレーヌ：
オー・ド・ヴォワレット》
1921

1921年にデュシャンは写真家マン・レイに、女装姿を撮影させている。この女性としての自分を、デュシャンは「ローズ・セラヴィ（当初、綴りはRose Sélavyだったが、後にRrose Sélavyに改名）」と名付けた。これは、「Rose, c'est la vie（フランス語で「薔薇色の人生」）」や「Eros, c'est la vie!（「愛欲、それこそ人生」）」に由来すると言われている。

デュシャンは、ローズの名前や写真を使って作品を制作したり、「ローズ・セラヴィ出版」という名で《グリーンボックス》を刊行したりするなど、ローズという女性人格を、男性人格のデュシャンと表裏一体をなすように存在させていた。古代のギリシャ神話には、男女両性を兼ね備えた存在が、人間の完全体として出てくるが、もしかするとデュシャンは、そうした存在を志向していたのかもしれない。

20年間、秘密裏に制作された遺作

木でできた
扉の穴をのぞくと
そこには横たわった
裸の女性が……

全体図

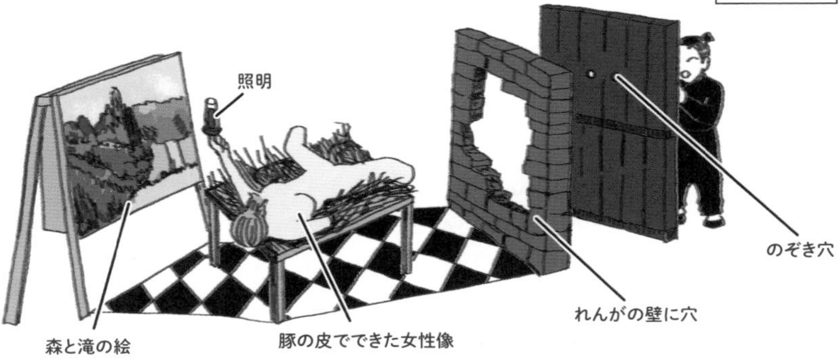
照明
のぞき穴
れんがの壁に穴
森と滝の絵
豚の皮でできた女性像

《与えられたとせよ　1.落ちる水　2.照明用ガス》
1945〜66

デュシャンの最後の作品は、通称「遺作」と呼ばれる。「大ガラス」以降、デュシャンは目立った作品を公に発表しておらず、芸術家をやめたと思われていた。だが、1968年にデュシャンが死去した後、「遺作」が発表されたことで、20年にわたって巨大な作品を制作していたことが明らかになった。

デュシャンは、この作品の写真公開を15年間禁止する遺言を残している。「レディ・メイド」で大量生産品を使い、作品のオリジナル性を否定したデュシャンが、なぜ最終的に作品の複製を拒んだのか。また、作品の内部に、網膜的だと否定していたクールベの絵画《世界の起源》（1866）を想起させるような裸の女性像をなぜ置いたのか。すべては未だ謎に包まれている。

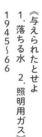

マルセル・デュシャンをもっと知るための ブックガイド

ジャニス・ミンク
『マルセル・デュシャン：1887-1968』
Kyoko Hasegawa訳
タッシェン・ジャパン、2001年

最初に手に取ると良い入門書。《泉》や《大ガラス》などの主要作品を写真で掲載しているほか、デュシャンの生涯や、その功績について、わかりやすくまとめている。

マルセル・デュシャン、ピエール・カバンヌ
『デュシャンは語る』
岩佐鉄男、小林康夫訳
ちくま学芸文庫、1999年

デュシャンの主要なインタビューをまとめた本。作品の裏話だけではなく、芸術に対する考え方、いかに生きたいかなどが語られており、デュシャンという人物の魅力を垣間見ることができる。

カルヴィン・トムキンズ
『マルセル・デュシャン』
木下哲夫訳
みすず書房、2003年

直接インタビューをして以来、デュシャンに魅了されたという伝記作家トムキンズによる伝記。生い立ちや、作品についてだけではなく、デュシャンの独創性やユーモア、人間関係などにも肉薄した記述がなされる。

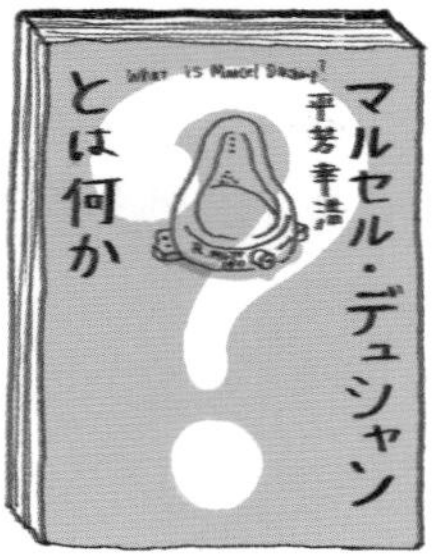

平芳幸浩
『マルセル・デュシャンとは何か』
河出書房新社、2018年

デュシャンの主要作品の詳細な紹介だけではなく、その解釈の可能性までをも提示してくれる著書。この本を読めば、デュシャンとその作品を理解するための十分な視座を得ることができるだろう。

2

抽象絵画I

ワシリー・カンディンスキー

—色と形が音楽を奏でる—

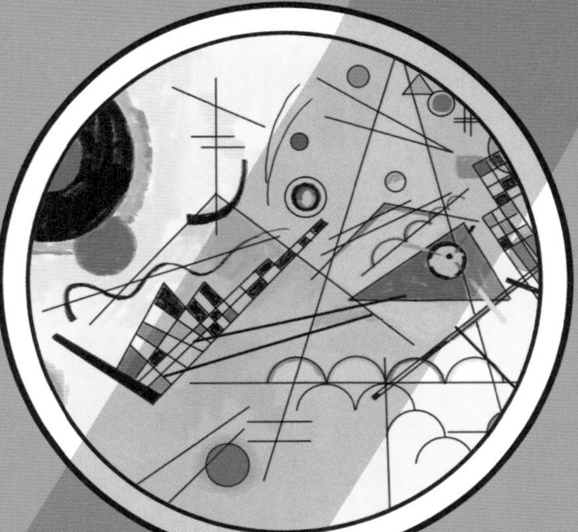

いったい哲学以外の何が、自己の暴力を定義するべき
ヴヴヴ
ハッ
あおくーん
今日ひま?
10:51
既読
10:53
暇な時などない
ポン
ポン
10:53
このドゥルーズの自由についての議論をアーレントの議論と比較してみると〜〜
ヴヴ
ワシの友人が絵見て欲しい
言うてんやけど、見てくれへん?
ムシかよ……
ガクッ
絵か……まあ
絵は好きだから

講義が終わったら行く
既読
11:03
11:04
あ
あおくーーん!!
K市芸術大学
来てくれてありがとぉお
こちらが絵見て欲しいっちゅー絵画専攻の江藤じゅん
よろしくお願いしますのぜ
のぜ……?
よ、よろしく
ほな さっそく絵見に行こか!

絵画研究室3
ドーーン
コホン
それで僕は何を言ったら良いの?
またか……
?
だから僕が好きなのは江戸時代までの日本美術〜〜〜!
前は人とか風景を描いていたんだけど最近は抽象絵画に魅かれるようになって……
ふーん別に良いのでは?
でもよくわからないことがあるのぜ……

抽象って何なのぜ!?
えっ?
いやそれは僕も知らない
ワシはこういうの専門外やねん
あおくん頭いいから
わかるやろおもて
……
ちょっとすぐには
うまく答えられそうにないんで
また明日説明しますね……
わー
南総合図書館

また
この展開か……
抽象って要は
写実的な表現が
まったくない
絵や立体のことだろ
抽象表現自体は
昔からあるよな〜
日本の古墳壁画とか
イスラム教建築の
幾何学装飾とか
でも西欧で
抽象的な
絵画や立体が
作られるのは

20世紀に
入ってから
だったのか

高階秀爾著
近代絵画史(下)
虎塚古墳（茨城県、7世紀）

イスラム教建築の装飾

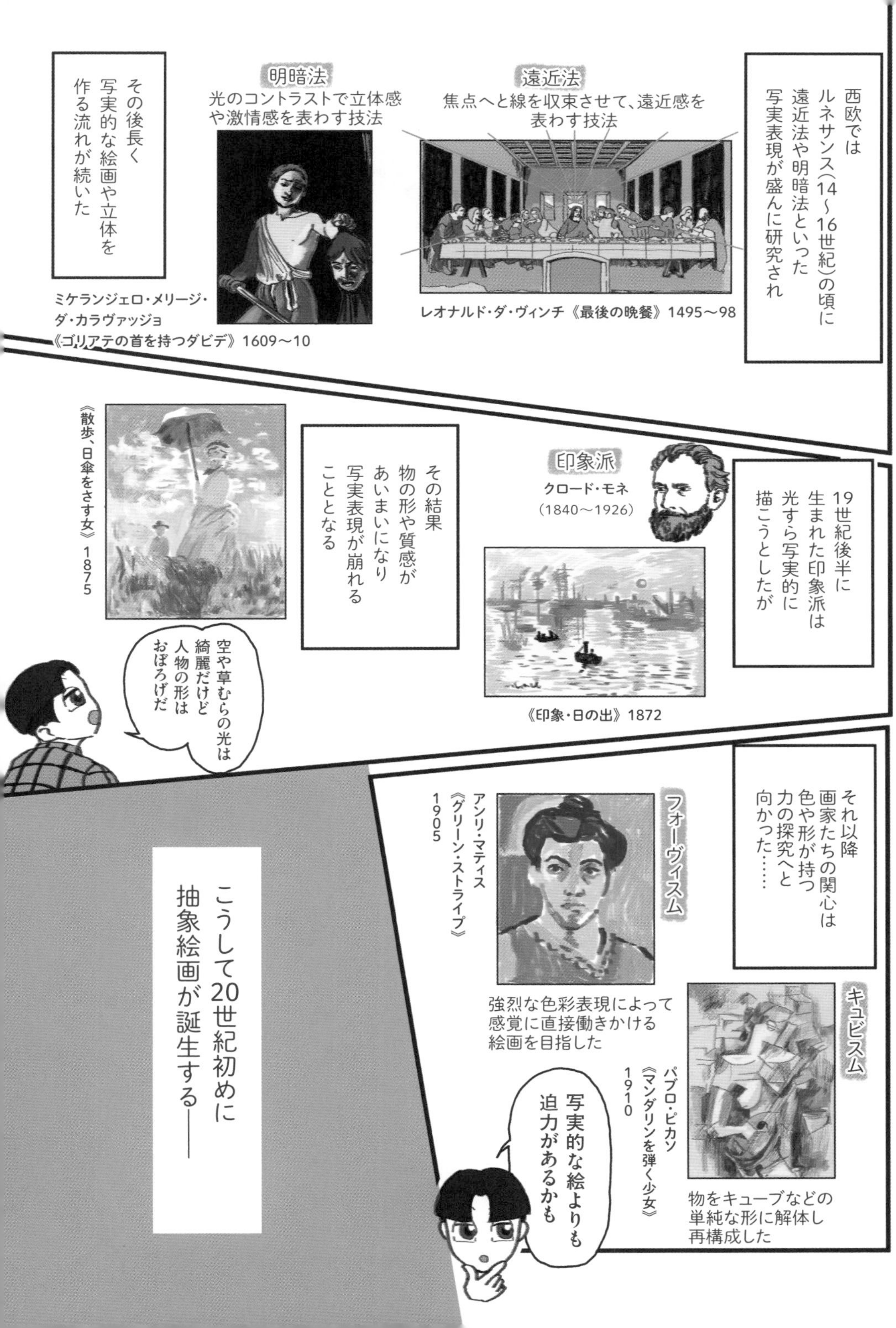
西欧では
ルネサンス（14〜16世紀）の頃に
遠近法や明暗法といった
写実表現が盛んに研究され
遠近法
焦点へと線を収束させて、遠近感を
表わす技法
レオナルド・ダ・ヴィンチ《最後の晩餐》1495〜98
明暗法
光のコントラストで立体感
や激情感を表わす技法
ミケランジェロ・メリージ・
ダ・カラヴァッジョ
《ゴリアテの首を持つダビデ》1609〜10
その後長く
写実的な絵画や立体を
作る流れが続いた
19世紀後半に
生まれた印象派は
光すら写実的に
描こうとしたが
印象派
クロード・モネ
（1840〜1926）
《印象・日の出》1872
その結果
物の形や質感が
あいまいになり
写実表現が崩れる
こととなる
《散歩、日傘をさす女》1875
空や草むらの光は
綺麗だけど
人物の形は
おぼろげだ
それ以降
画家たちの関心は
色や形が持つ
力の探究へと
向かった……
フォーヴィスム
アンリ・マティス
《グリーン・ストライプ》
1905
強烈な色彩表現によって
感覚に直接働きかける
絵画を目指した
キュビスム
パブロ・ピカソ
《マンドリンを弾く少女》
1910
物をキューブなどの
単純な形に解体し
再構成した
写実的な絵よりも
迫力があるかも
こうして20世紀初めに
抽象絵画が誕生する——

初期抽象絵画の代表作家たち
カジミール・マレーヴィチ《黒の正方形》1915
ワシリー・カンディンスキー《黒の関係性》1924
ピート・モンドリアン《赤・青・黄のコンポジション》1930
白いキャンバスに黒い正方形のみを描き衝撃をもたらした
丸・三角・四角で画面に響きを作る
赤・青・黄色と黒の直線のみで画面を構築
この時代、写真が発展したことでデュシャンは絵画を捨てたけど
絵画にこだわり続けて新しい表現を作り出した作家たちもいたんだな
しかし歴史をたどったところでどうやって絵を見て良いのかわからないのも事実……
ヴァシリー・カンディンスキー
点と線から面へ
カンディンスキー著作集
1
抽象芸術論
カンディンスキーという画家は自分の抽象理論を文章で残しているのか
明日はこれを2人と読んでみよう

芸術大学
コホン
と、いうことで
まず抽象という
言葉の意味から
考えよう
物から
ある特徴を
抽出すること？
「りんご」
だったら
赤色とか
シルエットとか
そうだね
たとえばモンドリアンの
絵の変遷を見てみると
木の特徴を線で抽出して
単純化しているのがわかる
《夕方、赤い木》1909頃
《灰色の木》1911
《花盛りのりんごの木》1912
それじゃあ
抽象作品はすべて
現実にある物を
単純化した形で
表現しているのぜ？
いや
そうでもない

中には
抽象的な形だけで
絵を構成するには
どうしたらいいか
考えた画家もいた
そのために
画家たちは
独自の抽象理論を
作っていったんだ
つまり現実の物を
まったく描かない
絵やな
どうやって
自分の理論を
作ったら良いのぜ?
まずは
色々な画家の理論を
参考にしたらどうかな
たとえば
カンディンスキーの
理論を見てみよう
ワシリー・カンディンスキー
（1866～1944、ロシア）
ロシア出身で
ドイツやフランスでも
活躍した画家だ
モスクワ大学で
法律・政治を学んだ後
30歳頃から絵を
描き始めた

カンディンスキーが
世間に衝撃を与えたのが
1913年の作品
《コンポジションVII》
写実的な物が
一切描かれていない
絵画を発表して
抽象表現の先陣を切った

写実絵画は
現実を切り取る「窓」や
言われとったけど
カンディンスキーの絵は
色んな形や色が
作用し合う空間
っちゅー感じやな
他の絵も
見てみよう

《サクセッション》 1935

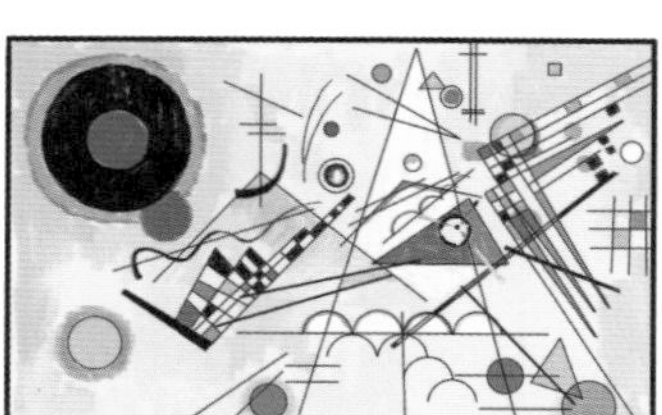
《コンポジションVIII》 1923

《インプロヴィゼーション34》 1913

インプロヴィゼーション（即興）
コンポジション（作曲）――
音楽用語がタイトルに
使われているのぜ
そう
彼は絵を
音楽のように
したかったんだ
音楽の
ように？
次のような言葉を
残しているよ

音楽的な音は、魂に至る直接の通路をもっている。
音は魂にふれると、ただちに反響をみいだす。
（ワシリー・カンディンスキー「抽象芸術論：芸術における精神的なもの」西田秀穂訳、美術出版社、2000年、73頁）
音楽は音の組み合わせだけで人間の感情を揺り動かすことができるって感じかな
たしかに音楽は曲の背景を知らなくても音を聴くだけで楽しくなったり悲しくなったりするもんなあ
絵でも楽しいシーンや悲しいシーンを描くっていうのはあるけど……
音楽ほど直接的には感情を揺さぶれていないかもなのぜ
そこでカンディンスキーは色彩にも音のように魂に影響を与える力があるのではと考えた
色彩は魂に直接的な影響を与える手段である*
抽象芸術論
●芸術における精神的なもの●
西田秀穂訳
美術出版社
この言葉が載っている『抽象芸術論：芸術における精神的なもの』は
けれども問題は当時色彩理論が確立していなかったこと

＊カンディンスキー「抽象芸術論：芸術における精神的なもの」前掲書、70頁

黄

こちらに近づいてくる色

狂気・凶暴性・錯乱症・躁狂症を表わす

青

自己の中心へと向かう色

天上の世界のような
超感覚的なものへの憧れをよび醒ます

緑

歓喜・悲哀・熱情などを伴わない、最も落ち着いた色

慰めと安心を与えるが、退屈でもある

赤

エネルギーと強烈さに満ち溢れながらも、
まるで目的を意識しているかのような色

ひたすら自己の内部で沸騰《ふっとう》し燃焼し続ける

白

大きな沈黙の色

音楽における休止ポーズに似ている

始まりを前にした無、誕生を前にした無

黒

光が消えてしまった色

生命の終焉、死後の肉体の沈黙にも似ている

外面的には、最も響きのない色

わかる部分もあるけど主観的にも見えるのぜ
もちろんカンディンスキーもこうした定義が暫定的なものであることは認めているさ
これらの原色についてのみ私が述べてきた特徴が、きわめて暫定的な、また、ずさんなものであることは、いうまでもない。[……]色彩の響きは、音楽の音色と同じように、もっとずっと繊細な性質のもので、言葉では到底表わし切れない、魂のまことに微妙な振動をよび醒ますものなのである。
(カンディンスキー『抽象芸術論：芸術における精神的なもの』前掲書、113頁)
まあ色の精神的な効果を画家が初めて分析した例として面白い言うんはわかるわ
――この著書からおよそ15年後

カンディンスキーは
バウハウスという芸術学校で
教えた成果を踏まえて
『点と線から面へ』(1926)
を書き上げる
この本では前作で
あまり記述のなかった
「形」について
考察がなされるんだ
まずは
形の最小単位である
「点」から
ヴァシリー・カンディンスキー 宮島久雄訳
点と線から面へ
WASSILY KANDINSKY
PUNKT UND LINIE ZU FLACHE

点

点は黙りこむ
点を知覚するために要する時間は最小
音楽における短いティンパニーやトライアングルの響きに似ている

線

動く点の軌跡
点の要素は緊張だけを持ち、方向を持たないのに対して、
線は緊張も方向も無限に持っている

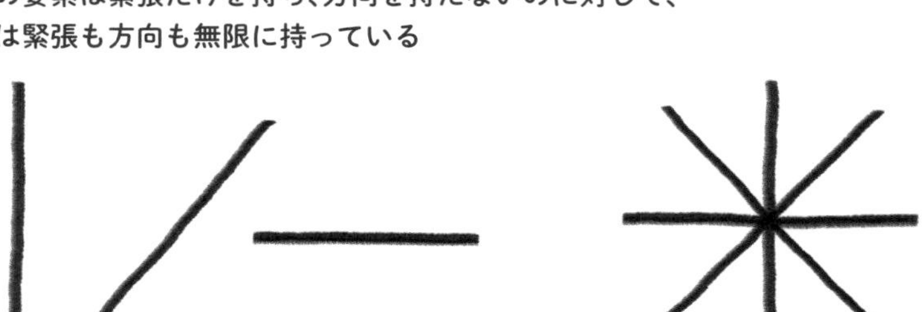

曲線

側面からの圧力によって導き出された線

曲線の動きが激しいほど、線を目で追う時間は延長する

角

折線は2つの力の押し合いから生まれる

鋭角は最も緊張を持つ

鈍角は鋭角よりも攻撃性、緊張が少ない

形を目でたどる時にかかる時間や形が引き起こす心理的な効果に着目してるのぜ
こうした形は「面」の中で構成されるんだ

面

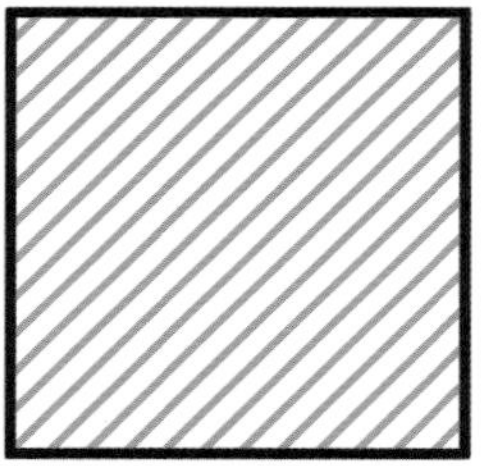

2本の水平線と2本の垂直線で仕切られた周囲から独立した存在

とは?

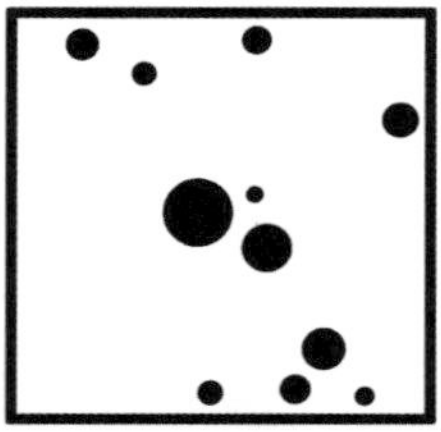

辺の近くにある形は構造の「劇的な」響きを高める

中心のまわりに集まる形は構造に「叙情的な」響きを与える

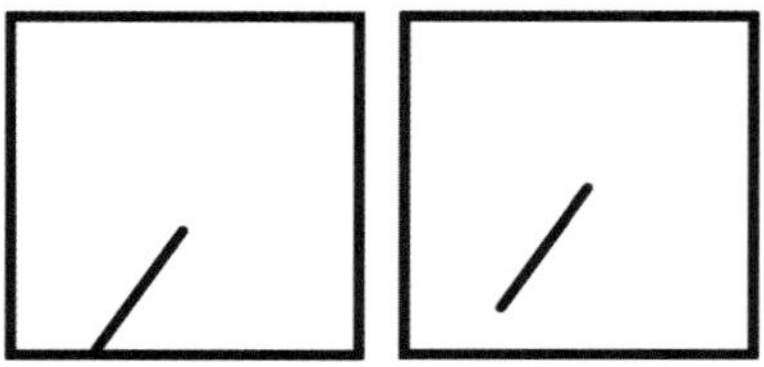

右:辺に形が近づくと、緊張が増す
左:辺に形が接触すると緊張は消滅する

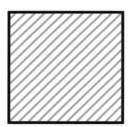

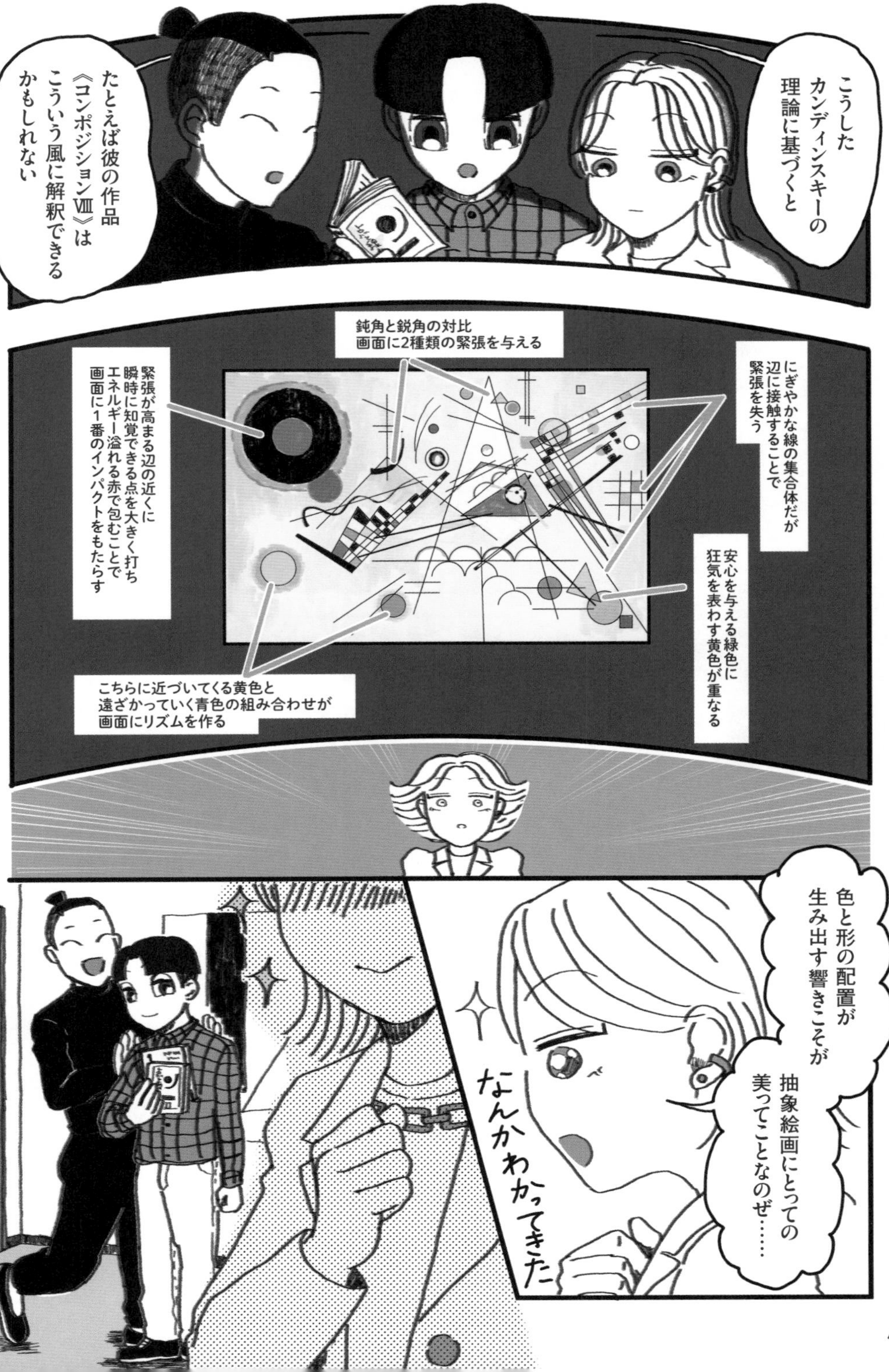
こうした
カンディンスキーの
理論に基づくと
たとえば彼の作品
《コンポジションⅧ》は
こういう風に解釈できる
かもしれない
鈍角と鋭角の対比
画面に2種類の緊張を与える
にぎやかな線の集合体だが
辺に接触することで
緊張を失う
緊張が高まる辺の近くに
瞬時に知覚できる点を大きく打ち
エネルギー溢れる赤で包むことで
画面に1番のインパクトをもたらす
安心を与える緑色に
狂気を表わす黄色が重なる
こちらに近づいてくる黄色と
遠ざかっていく青色の組み合わせが
画面にリズムを作る
色と形の配置が
生み出す響きこそが
抽象絵画にとっての
美ってことなのぜ……
なんかわかってきた

私も自分で形と色の法則を作ってみることにしたのぜ
ヨハネス・イッテンの色彩論とかブルーノ・ムナーリの形態論が参考になるかもね
正方形
円形
三角形
ヨハネス・イッテン 色彩論
Itten
ブルーノ・ムナーリ『正方形』『円形』『三角形』阿部雅世訳、平凡社、2010年
ヨハネス・イッテン『色彩論』大智浩訳、美術出版社、1971年
図書館行ってくる！
ダッ
しっかし抽象絵画いうんは難儀なもんやな
形と色の面白さを味わえばいい言われても
写実絵画に慣れてるとどうしても物語を探ってまうもんな
この絵には物語が描かれているから
こっちの絵もそうなハズ！
？
写実絵画もきちんと見るには知識を必要とするから難しいけどね
西欧絵画を見るにはギリシャ神話やキリスト教の知識が必須だろ
聖母マリアは青と赤の衣をまとい純潔の象徴である百合と描かれることが多いそして彼女に受胎告知するのは大天使ガブリエル、とか

あー
絵って見れてるようで見れてへんよな〜〜〜
その点抽象絵画の方が知識なしでも愉しめるのかもね
ふっ…
とはいえ…
抽象的な形にも何らかの意味を持たせようとしてしまうのが人間
日本美術でも仙厓《せんがい》の《◯△□図《まるさんかくしかくず》》（江戸時代）に対して
神道・仏教・儒教の三教合一を表わしているのでは？という説が出るほどだし……＊
ククククク
人間とはおかしなものよ
ククク
？
なんかあおくん楽しそうやし今日も話せて良かった〜〜〜

＊泉武夫「この一枚〈◯△□図〉」『水墨画の巨匠 第七巻 白隠・仙厓』講談社、1995年、85～89頁

#02 Fin

カンディンスキー生涯年表

1866

0歳

ロシア帝国
モスクワで
誕生

20歳

モスクワ大学で
政治・経済を
6年間学ぶ

46歳

『抽象芸術論：
芸術における
精神的なもの』
出版

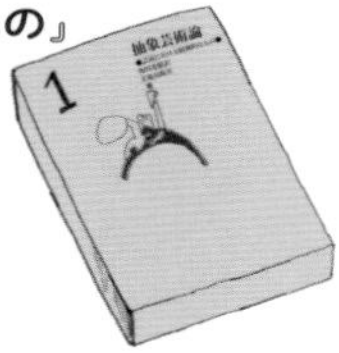

47歳

最初の大作
抽象絵画
《コンポジションⅦ》
制作

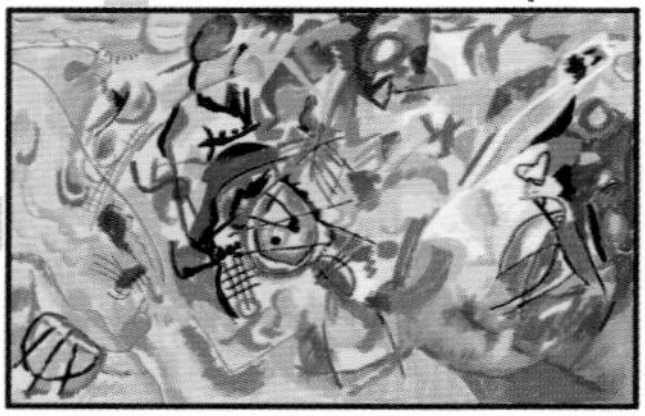

《コンポジションⅦ》1913

49歳

第一次大戦の影響を
受けてロシアへ戻る

水彩や墨絵を中心に制作

1944

78歳

死去

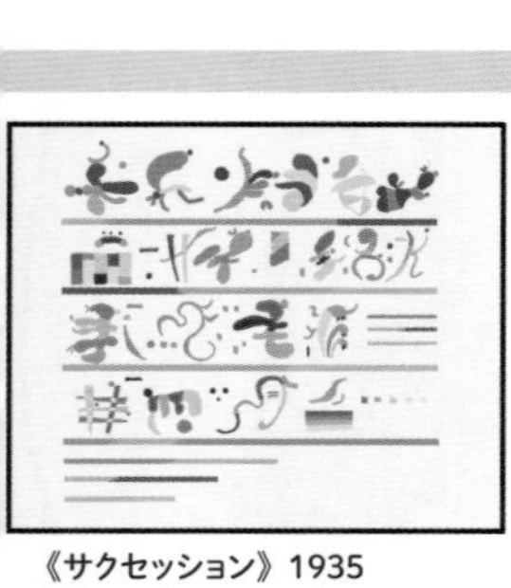

《サクセッション》1935

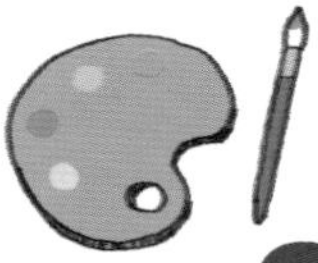

30歳

ミュンヘンに
移り、絵の
勉強を始める

風景画を中心に
写実絵画を
多く制作

《古い街II》 1902

《ラパッロのボート》 1905

42歳

「インプロヴィ
ゼーション」
シリーズの
制作を開始

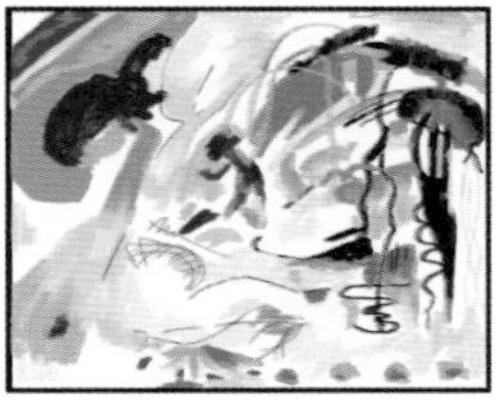

《インプロヴィゼーション34》 1913

44歳

「コンポジション」
シリーズの
制作を開始

「インプロヴィゼーション」は
自己の内面を即興的に表現したもの
「コンポジション」は
形や色による
絵画的な作曲なんだ

56歳

ドイツへ移住
バウハウスで
教鞭をとる

円や三角形、四角
形を用いた幾何
学的な抽象絵画
を描き始める

《コンポジションVIII》 1923

59歳

『点と線から面へ』
出版

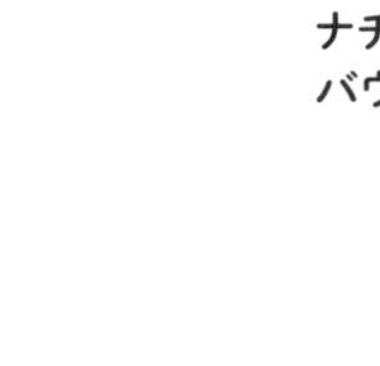

67歳

ナチスの圧政により
バウハウス閉鎖

68歳

パリへ移住

文字のような
抽象絵画を
多く制作

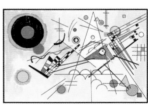

マレーヴィチのシュプレマティスム

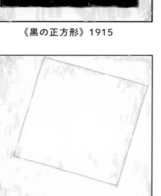

《黒の正方形》1915

《白地の上の白》1918

カジミール・セヴェリノヴィッチ・マレーヴィチ

（1879-1935、ウクライナ）

１８７９年にロシア帝国領ウクライナで生まれたマレーヴィチは、１９１５年に白い背景に黒い正方形を描いた絵画を発表し、抽象絵画の黎明期を代表する作家の一人となった。

彼は、自身の純粋な感覚を絶対的な要素とする「シュプレマティスム（絶対主義）」を提唱した。その感覚は、カンディンスキーの絵画と同様に、四角形などの幾何学的形態によって表現されるものであった。１９１８年に制作された《白地の上の白》は、絵画を構成する上で必要な色や形といった要素を極限にまで切り捨てた絵画である。

マレーヴィチはさまざまな教育機関で教鞭をとっていたが、スターリン政権下で前衛的な芸術表現への弾圧が強まった結果、抽象表現を断念せざるを得なくなり、そのまま生涯を終えた。

COLUMN

モンドリアンの新造形主義

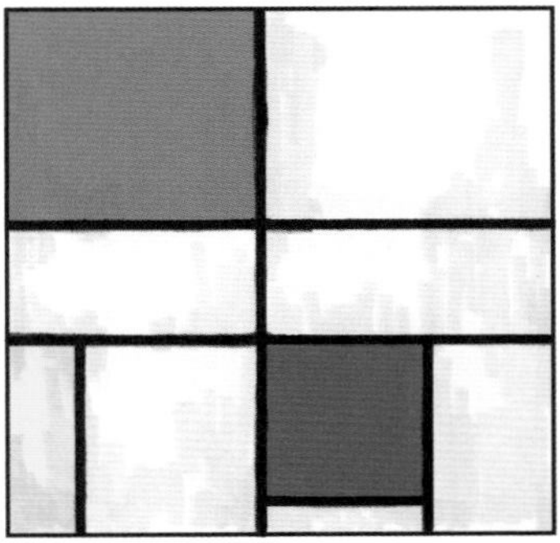

《赤・黄・青のコンポジションC（No.3）》1935

ピート・モンドリアン

（1872-1944、オランダ）

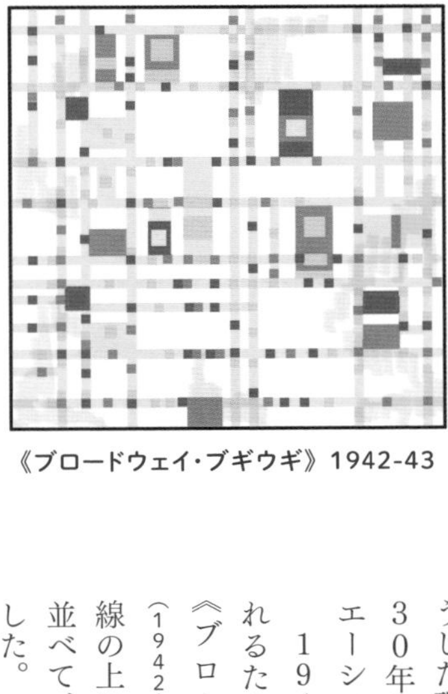

《ブロードウェイ・ブギウギ》1942-43

１８７２年にオランダで生まれたモンドリアンは、アムステルダムの美術学校で芸術を学んだ。１９１７年に、友人たちと「デ・スティル」という前衛芸術運動を立ち上げ、自らの芸術を「新造形主義」と名付けた。

自身の造形理論を書き残してもいて、そこでは、三原色（赤、青、黄）の重要性、ならびにそれらの色を直線によって厳密に境界付けることの重要性が述べられている。こうした理論に基づき、１９２０－３０年代にかけて多くのヴァリエーションの抽象絵画を制作した。

１９４０年にファシズムから逃れるためニューヨークへ渡ると、《ブロードウェイ・ブギウギ》（１９４２－４３）のように、黄色の直線の上に明滅するような四角形を並べて、都市の人工的な美を表現した。

初期抽象絵画をもっと知るための ブックガイド

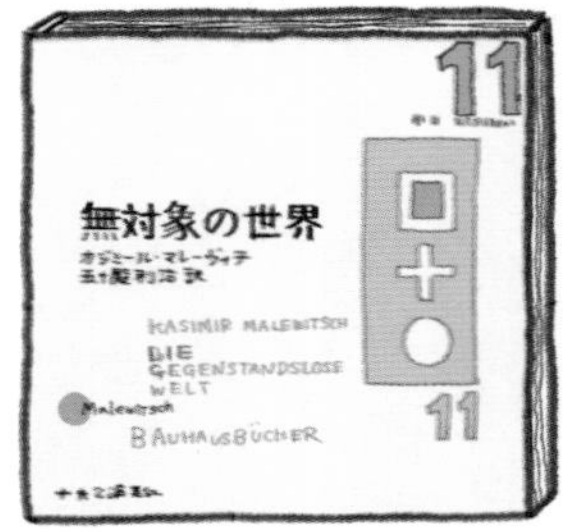

カジミール・マレーヴィチ

『無対象の世界』

五十殿利治訳、中央公論美術出版、2020年

マレーヴィチが 1927 年に出版した抽象絵画論。自然の対象を描かずに、己の感覚を絵画に表現することを決意したマレーヴィチが、正方形という造形に活路を見出す道程を知ることができる。

ピート・モンドリアン

『新しい造形（新造形主義）』

宮島久雄訳、中央公論美術出版、2020年

モンドリアンは 1917 年から、自身の造形理論を文章で発表し始め、1921 年に著書として刊行した。抽象絵画の色彩や構図についてのほか、建築や彫刻などに対する造形意識も読み取ることができる。

ミシェル・アンリ

『見えないものを見る：カンディンスキー論』

青木研二訳、法政大学出版局、2016年

1922 年生まれのフランスの哲学者ミシェル・アンリによるカンディンスキー論。カンディンスキーが論じる「外部」と「内部」の差異に着目し、その絵画がいかに世界の本質を明らかにしているかを論じる。

高階秀爾

『近代絵画史（上）（下）増補版』

中公新書、2017年

19 世紀前半から 20 世紀半ばまでの約 150 年間の西欧絵画の変遷を解説した本。下巻では、抽象絵画が誕生するまでの流れを追っており、カンディンスキー、マレーヴィチ、モンドリアンの歴史的な意義を知ることができる。

3

シュルレアリスム

—見慣れた現実を一皮むけば—

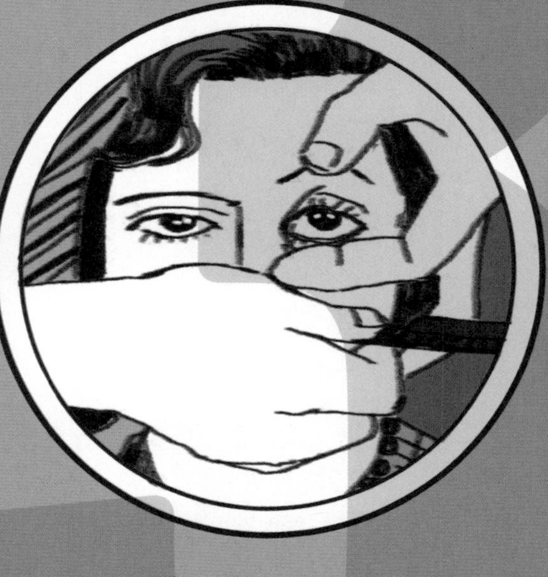

*すなわちある晩のこと、
眠りにつくまえに、
私は、一語としておきかえることが
できないほどはっきりと発音され、
しかしなおあらゆる音声から切りはなされた、
ひとつのかなり奇妙な文句を
感じとったのである。

なにか、「窓でふたつに切られた男がいる」
といったような文句だった。

＊アンドレ・ブルトン「シュルレアリスム宣言」（1924）
『シュルレアリスム宣言・溶ける魚』
巖谷國士訳、岩波文庫、1992年、37〜38頁

それにともなつて、
体の軸と直角にまじわる窓によって
なかほどの高さのところを筒切りにされて歩く
ひとりの男の、ぼんやりした
視覚表現があらわれた
私はかなりめずらしい型の
イメージを相手にしているのだとさとり、
さつそくそれを自分の詩作の素材に
組みいれることばかり考えた。
あぉくーーーん
ダッ
う

ガバッ
うわああああああッ
夢か……
シュルレアリスム宣言
溶ける魚
アンドレ・ブルトン著
昨夜読んでた内容が
そのまま夢になったんだな
ペラ
なんだっけ……
シュルレアリスム。男性名詞。心の純粋な自動現象《オートマティスム》であり、それにもとづいて口述、記述、その他あらゆる方法を用いつつ、思考の実際上の働きを表現しようとくわだてる。理性によって行使されるどんな統制もなく、美学上ないし道徳上のどんな気づかいからもはなれた思考の書きとり。＊

＊ブルトン「シュルレアリスム宣言」前掲書、46頁

シュルレアリスムは1924年に詩人アンドレ・ブルトンを中心に始められた芸術運動である
時代は第一次世界大戦の直後
詩人 アンドレ・ブルトン (1896〜1966、フランス)
さまざまなジャンルの芸術家たちが参加していた
画家 サルバドール・ダリ (1904〜1989、スペイン)
彫刻家 ハンス・アルプ (1886〜1966、フランス)
詩人 ポール・エリュアール (1895〜1952、フランス)
映画監督 ルイス・ブニュエル (1900〜1983、スペイン)
戦争を機に人間の合理的な思考に疑念を抱いた芸術家たちは夢や偶然といった非合理な現象からインスピレーションを得ようとした
日本では
シュルレアリスム
Surréalisme
=
超現実主義
と翻訳される
接頭語Surは超越・過剰という意味を持ち
réalisme=現実とくっつけることで
現実以上の現実を表わす
って感じか
しかし超現実ってナニ?
どうやって表わすんだ?
ピーポーン

あーおーくん
あーそーぼ♪
……急すぎない？
なんか2人で
あおくんち行こーって
流れになって
本人に
許諾を
とれよ…
これ
おみやげ〜〜
！
それ
『シュルレアリスム宣言』やん
シュルレアリスム宣言
溶ける魚
アンドレ・ブルトン著
あぁ
最近読んでるんだ
ふ〜〜〜ん
じゃあ
「甘美な死骸」ごっこしよや

「甘美な死骸」いうんはシュルレアリストたちが１９２５年頃から始めた制作手法で
１枚の紙を人数分の担当部分にわけて他の人に見られないように順番に絵を描いていくねん
まき
じゃん
あお
テーマは基本的に「人体」や
たとえばこれはブルトンたちが４人で制作した例やな
頭、胸、腹、足を別々の人が描いたせいで奇妙な人体になってるのぜ
芸術作品は１人の天才が作るものっていう思い込みを打ち破りたかったのぜ？
ハイ
描きおわった
それもあるけどやっぱり自分では意図していなかったイメージが現れるいうんが重要なんちゃうかな
ハイ　あおくん最後

《甘美な屍骸》1935
ヴィクトル・ブローネル、アンドレ・ブルトン、ジャック・エロルド、イヴ・タンギー作

できたよ
じゅん
まき
あお
ぴら
ぶ
ぶははは
あおくんのそれ人間の足？
うっさいな！
他にもシュルレアリストたちがやっていた制作方法として有名なんが
「自動筆記」
こっちは文章を書いていくんやけど書くスピードをどんどん速くしていくねん
これやってみんとわからんのやけどスピードを上げていくと主語が出てこんくなるんや
動詞も過去形とかがなくなって動詞の原型とか名詞、形容詞だけで文章が作られていく
翼 生える
ライオン
2度 殺す

で、そうなるとな
だんだん
自分じゃない『誰か』が
言葉を紡いでいる
感覚になるねん
ま、一種の狂気やな
いたこの口寄せ*とかに
近い感じがするのぜ
*東北地方の巫女が霊を呼び寄せて、その意思を言葉で語ること
んー
まあシュルレアリストは
霊的な存在については
考えてへんけどな
どちらかというと
自分の無意識に
存在していた言葉を
引きずり出す感じやろな
ムイシキ
イシキ
今朝の夢に出てきた
「窓でふたつに切られた男がいる」
というブルトンの言葉も
睡眠と覚醒のはざまに
出てきたものだと書いてあった
あれも自動筆記に
近い言葉だったんだ……

自分の理性とは違う言葉やイメージをもってくるって方法はアンドレ・マッソンの絵に近いのぜ
アンドレ・マッソン
（1896〜1987、フランス）
1924年からシュルレアリストとして活動していたフランスの画家だね
マッソンもあらかじめ描くものを決めずに自由にペンを走らせて偶然あらわれたイメージに後から気付くという方法で描いているのぜ
所々に手や足っぽい形がある
描こうと思って描ける絵やないな
他にもキャンバスに接着剤と砂を投げつけて
偶然できた形をもとに油絵を制作したりもしている
偶然生まれるイメージを利用した絵をマッソンは「瞬間の絵画」と呼んでいたのぜ
《オートマティック・ドローイング》1924
《魚の戦い》1927

あとは
シュルレアリスム系の絵画やと
コラージュが外せへん要素やな
重要な作家は
マックス・エルンスト
（1891〜1976、ドイツ）
彼はある時
人類学や微生物学、鉱物学などの
書物の図版が
たがいに結びついて
幻覚的なイメージを
引き起こすという現象に
遭ったという
この時エルンストは
芸術は人間が創造するもの
という近代的な考えに
疑いを持った
自分が創造するのではなくて
自分以外の「何か」によって
創造されるものを
観客のように見るのが
画家なのだと——
画家はあくまでも
イメージが
立ち現れる瞬間に
居合わせたに過ぎないのだ
そうした考えのもと
エルンストは
コラージュ作品を
多く制作し
LA FEMME 100 TÊTES
百頭女
マックス・エルンスト
河出文庫
それらと文章を
組み合わせた物語
『百頭女』を
1929年に刊行した

各ページは
古い銅版画を
コラージュした挿絵と
短い文章で構成される

「百頭女」の物語は9章から成り

犯罪か奇蹟か——
ひとりの完璧な男。

無原罪の宿り。

主人公である「百頭女」と
怪鳥ロプロプが
摩訶不思議で異様な世界を
作り上げていく

鳥類の長ロプロプは、最後に生きのこった共同祈禱者たちをおびえさせる。

大気よりも軽やかで、力強く
孤独な——惑乱、私の妹、百頭女。

ロプロプは
人間よりも巨大やな

両眼のない眼、百頭女とロプロプは
野生状態にもどり、彼らの忠実な鳥たち
の眼を、新鮮な木の葉でおおってやる。

だか明確な物語の筋が
あるわけではなく
偶然的に作り上げられたコラージュと
詩のような文章が独特の余情を生み
物語の行方は
読者の想像力に委ねられる

両眼のない眼、百頭女は
秘密を守る。

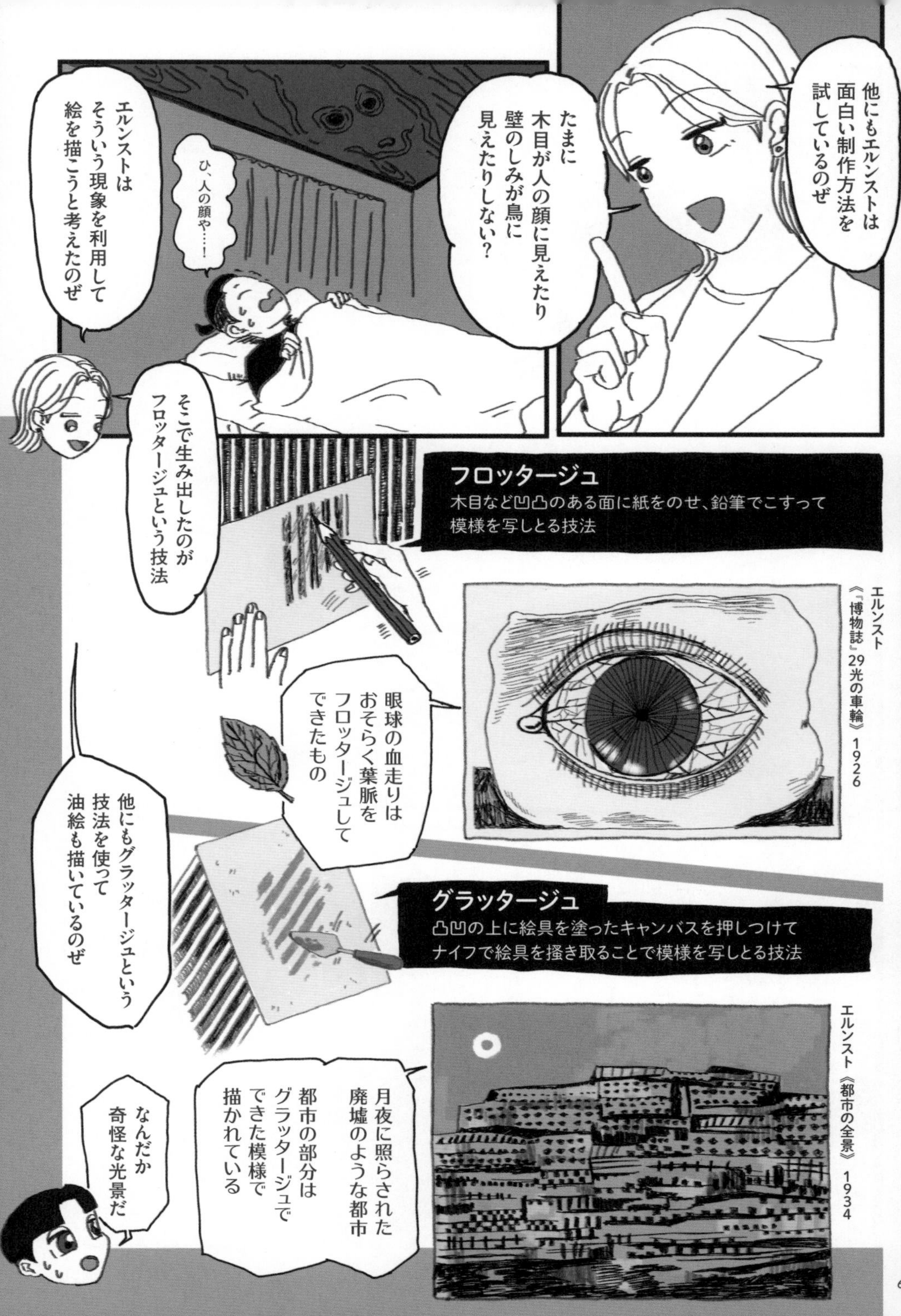
他にもエルンストは面白い制作方法を試しているのぜ
たまに木目が人の顔に見えたり壁のしみが鳥に見えたりしない?
ひ、人の顔や……!
エルンストはそういう現象を利用して絵を描こうと考えたのぜ
そこで生み出したのがフロッタージュという技法
フロッタージュ
木目など凹凸のある面に紙をのせ、鉛筆でこすって模様を写しとる技法
エルンスト《『博物誌』29光の車輪》1926
眼球の血走りはおそらく葉脈をフロッタージュしてできたもの
他にもグラッタージュという技法を使って油絵も描いているのぜ
グラッタージュ
凸凹の上に絵具を塗ったキャンバスを押しつけてナイフで絵具を搔き取ることで模様を写しとる技法
エルンスト《都市の全景》1934
月夜に照らされた廃墟のような都市
都市の部分はグラッタージュでできた模様で描かれている
なんだか奇怪な光景だ

既にあるイメージを使うっていうところはデュシャンのレディ・メイドに通ずるものがあるね
でもさ これが超現実《シュルレアリスム》なわけ？
超現実いうんは現実と地続きにあるもんやねん
現実の中に自分の予期せぬことが入り込んで見慣れていた現実がガラッと姿を変える
これが超現実
見慣れた通りなのにいつもと何か違う
たとえば夢がそうやな 夢の素材は現実の出来事やけど それが不可解にアレンジされるせいで奇妙に感じる
超現実の1つや
自動筆記もコラージュも自分では意図していなかった言葉やイメージが入り込んでくるのぜ
ナンダコレハ!?
現実が奇妙に現れてくる
これが超現実な のぜ んや
な、なに……

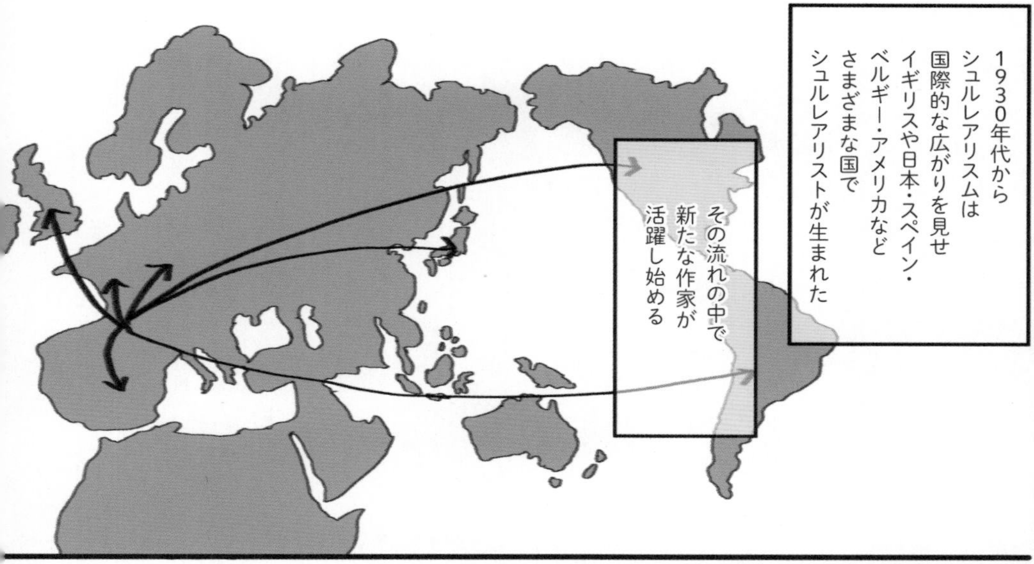
1930年代から
シュルレアリスムは
国際的な広がりを見せ
イギリスや日本・スペイン・
ベルギー・アメリカなど
さまざまな国で
シュルレアリストが生まれた
その流れの中で
新たな作家が
活躍し始める

スペイン出身の
サルバドール・ダリ
（1904〜1989）
もその1人

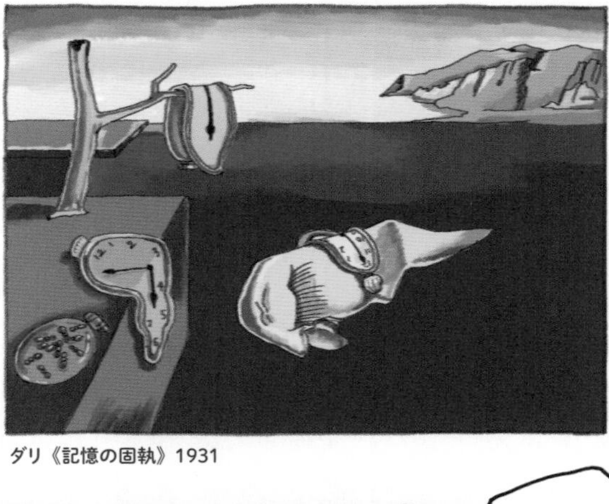

ダリ《記憶の固執》1931

ジャリ
ダリの絵には
彼の出身地である
カタルーニャの海岸風景が
描かれていることが多いんや

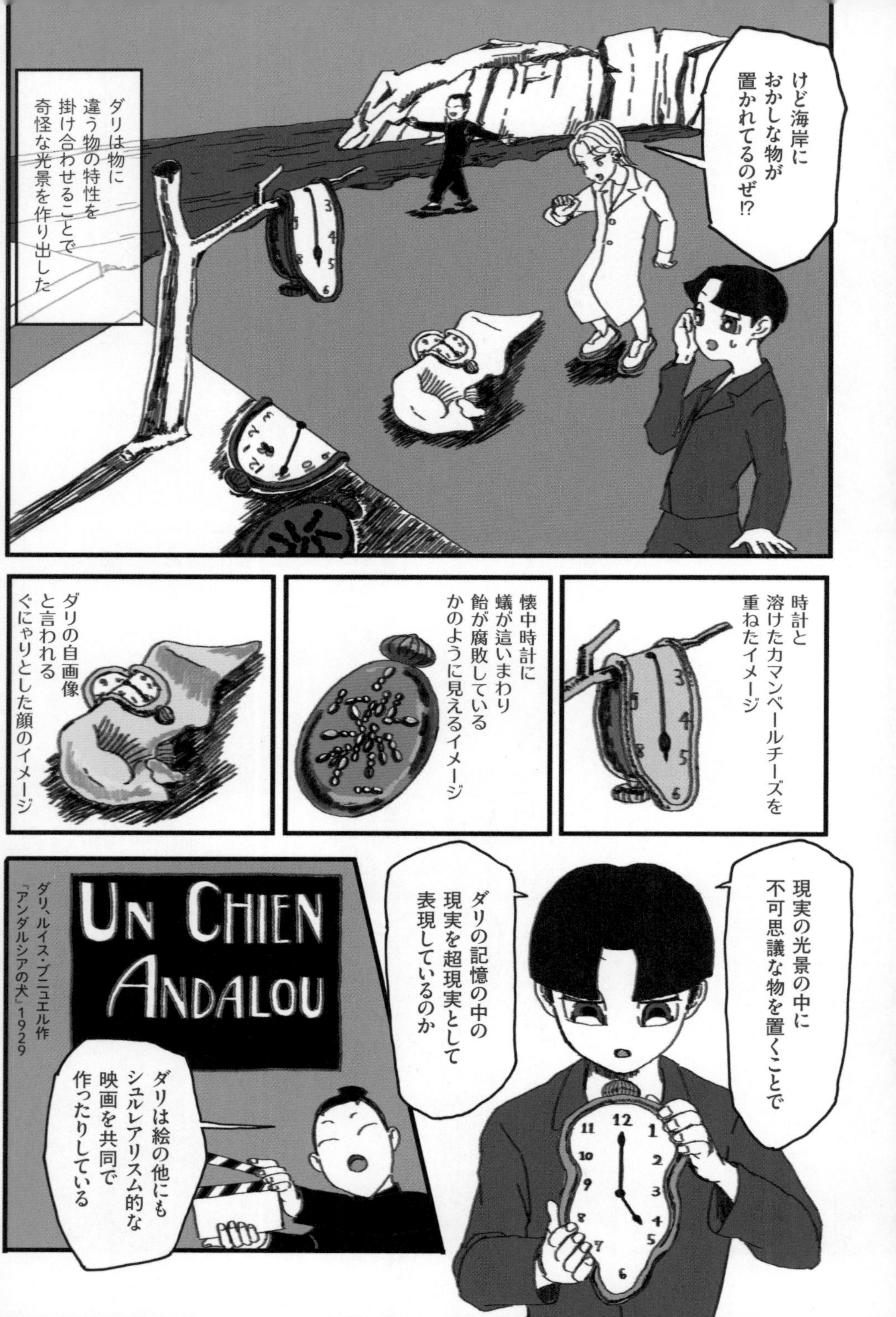
けど海岸に おかしな物が 置かれてるのぜ!?
ダリは物に 違う物の特性を 掛け合わせることで 奇怪な光景を作り出した
時計と 溶けたカマンベールチーズを 重ねたイメージ
懐中時計に 蟻が這いまわり 飴が腐敗している かのように見えるイメージ
ダリの自画像 と言われる ぐにゃりとした顔のイメージ
現実の光景の中に 不可思議な物を置くことで
ダリの記憶の中の 現実を超現実として 表現しているのか
UN CHIEN ANDALOU
ダリ、ルイス・ブニュエル作『アンダルシアの犬』1929
ダリは絵の他にも シュルレアリスム的な 映画を共同で 作ったりしている

この映画は
女性の眼球をかみそりで切る
という衝撃的なシーンから
始まり
続いて
手に蟻が這っている男
車にはねられる美青年などが
次々と映し出され
脈略のない夢を
見せられている
ような気分になる
ダリのように現実の中に
不可思議な物がある作品
というとマグリットを
思い出すのぜ
ルネ・マグリット
（1898〜1967）
ベルギー出身の画家で
1920年代後半に
パリに滞在し
シュルレアリスム運動に参加
イメージを不可思議に
配置した絵画を
多く描き
世界を神秘的に
表現した

マグリット《複製禁止》1937
鏡には反射した顔が映し出されるはずが背面が繰り返されている
マグリット《観念》1966
無個性なリンゴとスーツによって皮肉を込めた人間像を描く
見慣れた自室のはずがコップや櫛、クッションなどを巨大化させることで非現実的なイメージに
マグリット《個人的価値観》1952
マグリットの絵には現実にありそうで絶対にありえない不可思議さがあるのぜ
うーん
一番安らぐはずの部屋に誰かが勝手に侵入していたようで怖いかも
でも
あおくんの部屋もホラ

きっぱりいいきろう、不可思議はつねに美しい、
どのような不可思議も美しい、
それどころか不可思議のほかに美しいものはない。

（ブルトン「シュルレアリスム宣言」前掲書、26頁）

#03 Fin

シュルレアリスム活動年表

1924年以前に
シュルレアリスム的活動は
既に行われてたんや

1919

ブルトンが最初の自動筆記作品「工場」を『リテラチュール』誌に発表

1924

ブルトン『シュルレアリスム宣言・溶ける魚』を刊行

「シュルレアリスム」本格始動

溶ける魚

1925

パリのピエール画廊にて「シュルレアリスム絵画」展開催

エルンストが「フロッタージュ」技法を考案

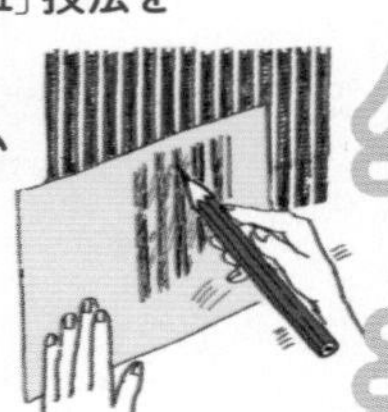

1926

シュルレアリスム画廊が開廊

「甘美な死骸」が頻繁に行われるようになる

《甘美な死骸》
1935

1928

パリにて「シュルレアリスム展
シュルレアリスム絵画は存在するのか?」開催

ブルトン「シュルレアリスムと絵画」を出版

日本でシュルレアリスト・グループが結成

1929

ブルトン「シュルレアリスム第二宣言」を発行

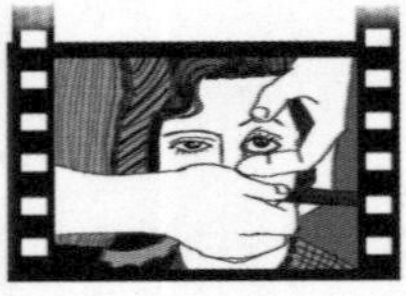

ダリ、ブニュエル作「アンダルシアの犬」1929

百頭女

1930

ブルトン主幹の機関誌『革命に奉仕するシュルレアリスム』創刊

瀧口修造がブルトン著『超現實主義と繪畫』を翻訳

ダリ《記憶の固執》1931

1931

アメリカ合衆国での初のシュルレアリスム展「ニューワー・スーパー=リアリズム」開催

エルンスト《都市の全景》
1934

1935

チリ、プラハで初のシュルレアリスム展開催

1936

「国際シュルレアリスム展」がロンドンで開催

「幻想芸術、ダダ、シュルレアリスム」展がニューヨーク近代美術館で開催

1937

「海外超現実主義作品展」が、東京、京都、大阪、名古屋に巡回

1941

第二次世界大戦から逃れるため、ブルトンら多くのシュルレアリストがアメリカなどへ渡る

1942

「亡命中の芸術家」展がニューヨークで開催

1946

ブルトンがパリへ戻る

1947

「1947 年のシュルレアリスム」展がパリで開催

1950

『半世紀のシュルレアリスム年鑑』（ブルトン監修）刊行

マグリット
《個人的価値観》
1952

1957

「シュルレアリスト」展がドイツ、デュッセルドルフで開催

1965

「アンドレ・マッソン」展がパリで開催

1966

ブルトン死去

シュルレアリスムのその後の展開

マン・レイ撮影：左上から《サルバドール・ダリ》1929、《イヴ・タンギー》1936、《アンドレ・ブルトン／ソラリゼーション》1930、《マン・レイ》1934、《ジョアン・ミロ》1930

１９２４年の「シュルレアリスム宣言」以降、世界に影響を及ぼす芸術グループとなったシュルレアリスム。パリで始まったこの活動は、さまざまな国へ波及していき、１９３０年代には、アメリカや南アメリカ、日本などでも展覧会が開かれるなど国際化されていく。

しかし、ブルトンはしだいに社会の変革を目指すようになり、シュルレアリスムも政治的色合いを強めていった。そうしたブルトンの考えに反発した作家も多く、本章で紹介したエルンスト、マッソン、ダリ、マグリットはいずれもグループから身を引いている。

１９６６年にブルトンが死去すると、グループとしての活動は収束するが、夢や無意識を創作源とするというその理念は、今もなお多くの作家に影響を与えている。

COLUMN

その他の主要なシュルレアリストたち

写真家マン・レイ

《カザーティ公爵夫人》１９９２

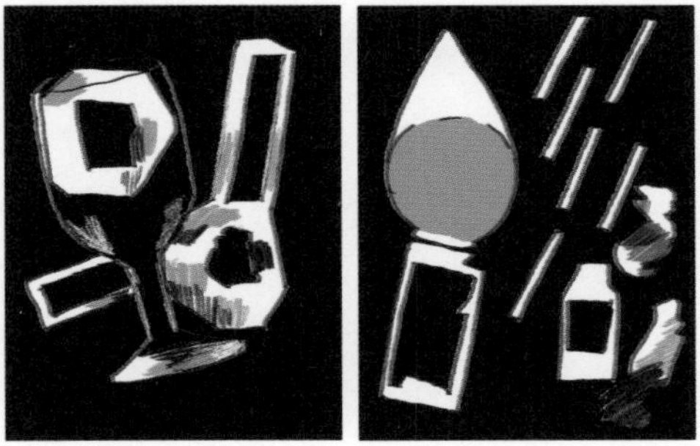

《レイヨグラフ》１９２５

偶然生じたブレで眼が4つあるように見える写真作品

彫刻家アルベルト・ジャコメッティ

《吊り下げられた球》１９３０～３１

切れ込みの入ったボールが糸で吊り下げられており半月形の上を往復して動く

マルセル・デュシャン

マン・レイ撮影《マルセル・デュシャン》１９２４

デュシャンはシュルレアリスムには参加していなかったが長きにわたってブルトンの友人でありシュルレアリスム展の会場デザインを手伝ったりしていた

シュルレアリスムの魅力は多様な作家が関わっているところにある。１９４７年にパリで開催されたシュルレアリスム展でも、実に24カ国から１００人を超える芸術家が参加している。

主要な作家としては、本章で紹介した以外に、写真家のマン・レイ（１８９０～１９７６）や、彫刻家のアルベルト・ジャコメッティ（１９０１～１９６６）らがあげられる。レイは、暗室の中で印画紙に物を置いて光を当てると現れる不思議な画像を利用して「レイヨグラフ」という写真作品を作り上げた。ジャコメッティは、エロティシズムを含意した作品を「象徴的機能を持つオブジェ」として発表している。日本では瀧口修造（１９０３～１９７９）が、ブルトンの著作を翻訳するとともに、自身の詩作などを通して、シュルレアリスムを国内に広めた。

シュルレアリスムをもっと知るための ブックガイド

アンドレ・ブルトン

『シュルレアリスム宣言・溶ける魚』

巌谷國士訳、岩波文庫、1992年

1924年に発表された「シュルレアリスム宣言」は、この動向を知るために、最初に読むべきテクスト。グループ結成時の生々しい高揚感を味わうことができる。

アンドレ・ブルトン

『シュルレアリスムと絵画』

瀧口修造・巌谷國士監修、粟津則夫・巌谷國士・大岡信・松浦寿輝・宮川淳訳、人文書院、1997年

「眼は野生の状態で存在する」という有名な一文から始まるエッセイ「シュルレアリスムと絵画」を収めたブルトンの著作集。造形作品の創造源を個人の「内的なモデル」に求め、20世紀美術の方向性を決定づけた。

巌谷國士

『シュルレアリスムとは何か：超現実的講義』

ちくま学芸文庫、2002年

シュルレアリスムの定義から、運動が起こった歴史的背景、制作手法に至るまで、わかりやすく解説した講義録。著者の巌谷國士は、シュルレアリスム研究の大家であり、他にも複数の書物を刊行している。

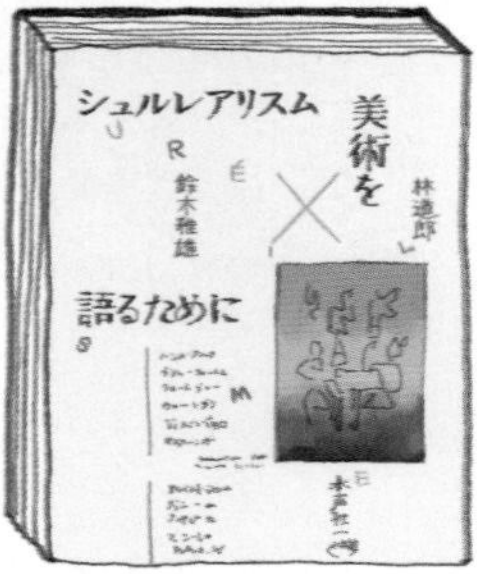

鈴木雅雄、林道郎

『シュルレアリスム美術を語るために』

水声社、2011年

シュルレアリスム研究者である鈴木と、美術批評を手がける林による往復書簡。シュルレアリストたちが生み出したイメージ・文章が持つ意義を、後の時代の美術の流れを踏まえながら多角的な視点で考察している。

4

抽象絵画II

ジャクソン・ポロック

—アメリカン・アートの荒野を切りひらく—

K市芸術大学
今、描いた作品をホールに展示してもらってるのぜ
アレ
あおくんに抽象絵画について教えてもらった後色々調べたんだけど
しばらく円にこだわった絵画を制作しようと思っているのぜ
カンディンスキーは円を最も不安定かつ最も安定した形だと語っていて
ブルーノ・ムナーリも円を神にまつわる形で永遠性を示すと言っていて興味深いのぜ*

＊カンディンスキー『点と線から面へ』前掲書、97頁
ブルーノ・ムナーリ『ブルーノ・ムナーリ　かたちの不思議2　円形』前掲書、3頁

ええやん
すごい
うふふ
お姉ちゃんの絵は硬すぎるのだ〜〜〜
ゆみ！

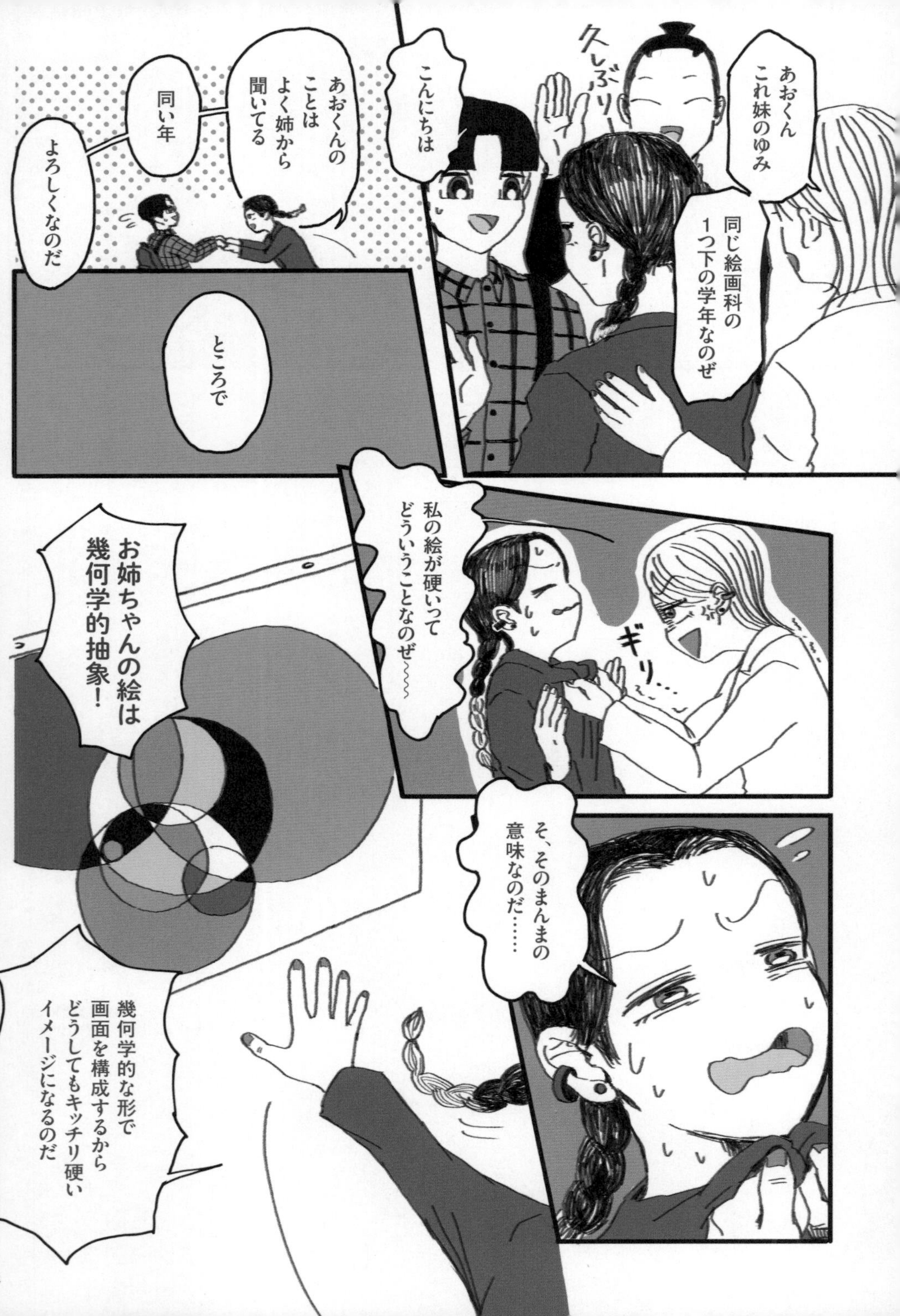

あおくん
これ妹のゆみ
久しぶり
同じ絵画科の
1つ下の学年なのぜ
こんにちは
あおくんのことはよく姉から聞いてる
同い年
よろしくなのだ
ところで
私の絵が硬いってどういうことなのぜ〜〜
ギリ…
そ、そのまんまの意味なのだ……
お姉ちゃんの絵は幾何学的抽象!
幾何学的な形で画面を構成するからどうしてもキッチリ硬いイメージになるのだ

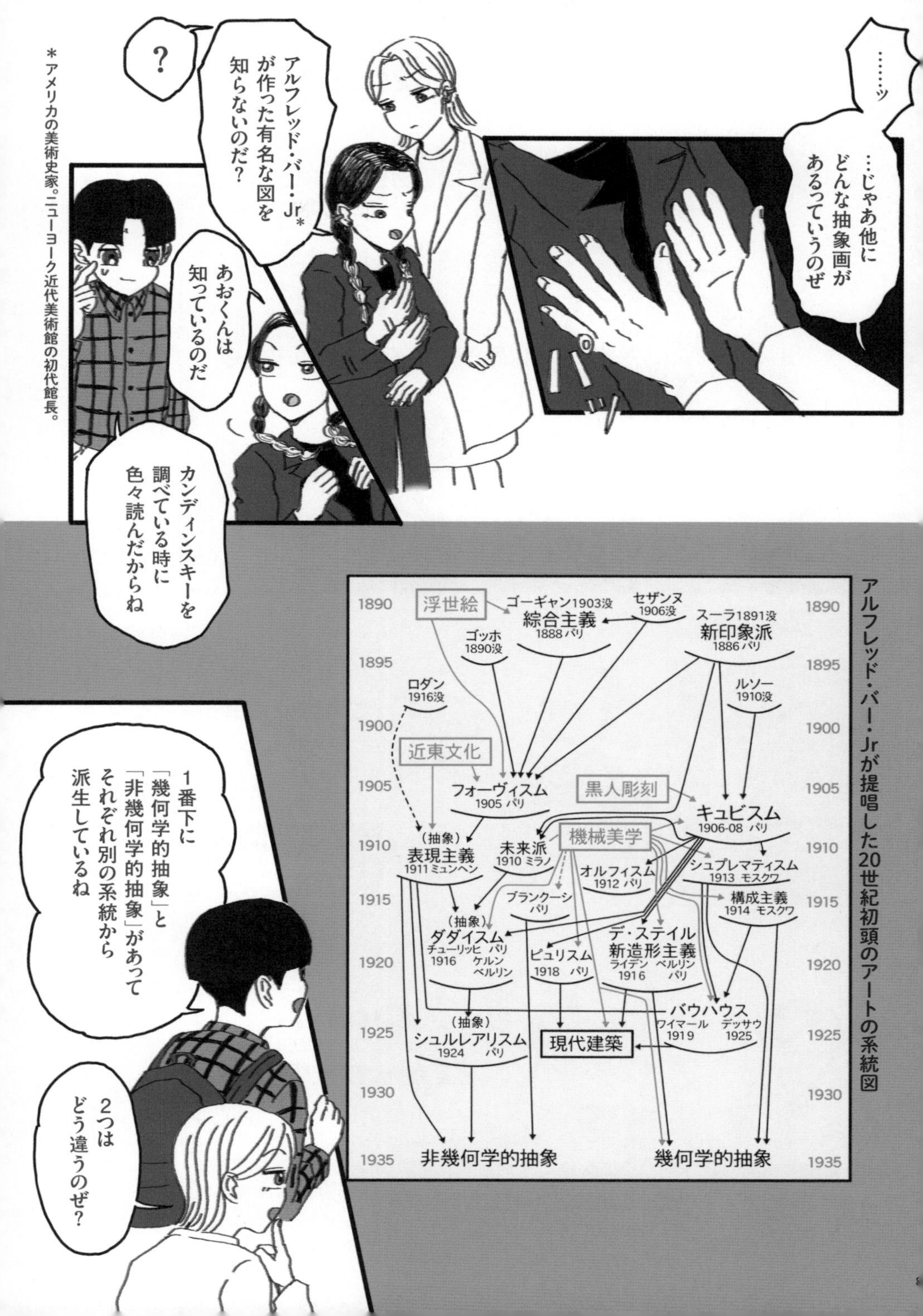

＊アメリカの美術史家。ニューヨーク近代美術館の初代館長。

たとえばカンディンスキーとか
モンドリアンの抽象絵画は
幾何学的な形で描かれているよね
ワシリー・カンディンスキー
《コンポジションⅧ》1923
ピート・モンドリアン
《赤・黄・青のコンポジションC（No.3）》1935
だから
「幾何学的抽象」
それに対して
マーブル模様とか
幾何学的ではないけど
抽象的な形ってあるのだ
それを使った抽象絵画を
「非幾何学的抽象」というのだ
非幾何学的抽象を牽引したのが
第二次世界大戦前後の
アメリカの画家たちだ
「抽象表現主義」
と呼ばれる作家たちが
1940〜50年代に活躍した
Abstract《抽象》
Expressionism《表現主義》
マーク・ロスコ
（1903〜1970）
《No.3/No.13（オレンジの上のマゼンタ、ブラック、グリーン）》1949
ウィレム・デ・クーニング
（1904〜1997）
《インターチェンジ》1955

これまで有名な芸術家はヨーロッパ出身やったのになぁ
《無題》1959
クリフォード・スティル
（1904〜1980）
《ワンメント6》1953
バーネット・ニューマン
（1905〜1970）
フランツ・クライン
（1910〜1962）
《バットトレス》1956
第二次世界大戦でヨーロッパは大きなダメージを負ったからね
戦場にならなかったアメリカが戦後の政治・経済・文化の覇権を握っていったんだ
ジャクソン・ポロック
（1912〜1956）
《秋のリズム（No.30）》1950
文化も強い国が作るってことなのぜ……
ロバート・マザウェル
（1915〜1991）
《午後の5》1949

ダダ
チューリッヒ 1916
ベルリン
1915
1920
1925
1930
現代建築
（抽象）
シュルレアリスム 1924 パリ
非幾何学的抽象
バーの図では非幾何学的抽象はシュルレアリスムから派生していたのだ
うん
シュルレアリスムの「無意識」を表現するという考えはアメリカの作家たちに大きな影響を及ぼしたんだ
でも抽象表現主義とシュルレアリスムの絵は全然違うやろ
抽象って時点でダリやマグリットの方向性とは真逆やし
ルネ・マグリット《個人的価値観》1952
無原罪の宿り。
コラージュでもないやろ
マックス・エルンスト『百頭女』1929
？
強いて言えば自動筆記っぽいんかな
アンドレ・マッソン《オートマティック・ドローイング》1924
うーん
たしかに絵の特徴は結構違うんだけど
ポロック
無意識に関心を抱き自動筆記技法を独自に発展させた
無意識にインスピレーションを受けていると明言する作家が多いことは事実なんだ
あと
抽象表現主義の絵は壁みたいに大きいけどそれはどこから影響を受けたのだ？
ロスコ
人類共通の無意識を探究するために神話の研究をした

それには2つの影響が考えられている
1つはアメリカ政府による失業者救済事業に参加して公共の場の壁画を制作した作家が多くいたこと
男子高校の壁画制作を担当する芸術家たち
もう1つは1920年代からメキシコで隆盛した
「メキシコ壁画運動」*の影響を受けたこと
*政治的な主張をするための壁画制作運動。公共施設などに、抑圧された民衆の姿などを描いて革命の意義を訴えた。
ホセ・クレメンテ・オロスコ
《立ち上がる僧侶イダルゴ》 1937-38
（メキシコ、ハリスコ州庁舎）
私は高校生の時部活で書のパフォーマンスをしたことがあって
大きい画面に線を縦横無尽に描くことに憧れているのだ

特にポロックを参考にしたいと思って真似して描いてみたこともあるんだけど
ただのめちゃくちゃな絵になっている気がして……
何それ〜ひじきの絵?
バッ
ポロックか〜〜〜
ジャクソン・ポロック
（1912〜1956）
アメリカ合衆国ワイオミング州に生まれ
18歳の時にニューヨークで絵画を学ぶ
初めの頃はピカソやシュルレアリスムに影響を受けた絵を描いていたが
ピカソ風のタッチ
《仮面》1941
自動筆記の体験を絵画化
《速記の人物》1942
1943年頃からキャンバスを床に置き塗料を滴らせて描く「ドリッピング」技法を確立

1947年から描かれ始めた
大型のドリッピング絵画は
「オールオーヴァー（全体を覆う）絵画」
と呼ばれる

《大聖堂》1947

こうした絵画は
ヨーロッパの抽象絵画の伝統を
引き継ぎながらも

まったく新しい技法で描かれた
非幾何学的抽象絵画であり

アメリカ絵画の1つの到達点と
位置付けられている

《サマータイム、ナンバー9A》1948

だが、そのような評価の一方で
ただ絵具を撒き散らした絵に過ぎない
といった批判も多く受けていた

《ナンバー1（ラヴェンダー・ミスト）》1950

ポロック自身は
オールオーヴァー絵画について
次のように語っている

絵の中にいる時、私は自分が何をしているのかを認識していない。
「しっくり来る」ような段階を経て、初めて自分がしたことがわかってくる。
イメージを変えたり、壊したりすることは怖くない。
絵はそれ自身の生命を持っているからだ。私はそれを現れるようにさせる。
絵との接触を失った時だけ、結果はめちゃくちゃになる。
そうでなければ、混じり気のないハーモニー、ゆったりとしたやり取りがあり、
絵はうまくいく。

（Jackson Pollock, “My Painting,” *Possibilities*, No. 1 (Winter 1947/48) p. 79.）

私はオールオーヴァー絵画はただの撒き散らしじゃなくてなんらかの法則に基づいて描かれているのかもって思っているのだ
ポロックって確か映像資料があったんちゃう?
ちょっと見てみようや
写真・映像作家のハンス・ネイムスらによる映像作品や
この映像にはオールオーヴァー絵画を制作するポロックの姿が記録されているんだね
この映像からポロックの制作手順を明らかにしようとする研究もあるんやで＊
ハンス・ネイムス+ポール・ファルケンバーグ《ジャクソン・ポロック51》1951

＊Pepe Karmel, "Pollock at work: The Films and Photographs of Hans Namuth," *Jackson Pollock*, New York: The Museum of Modern Art, 1998, pp. 87–137.

たとえば《No.27、1950》(1950)の
制作過程を見てみると
層ごとにまったく異なる作業を
しているのがわかる
1層目
座ってゆっくりと塗料を垂らし、
細い線を画面全体に連ねていく
2層目
立ち上がって、黒い塗料をはねかける
最終層近く
色のある塗料で全体を覆う
1層目と2層目では
描いている内容が
まったく違うように見えるのぜ
下層に描いたものを
上層のドリップで
隠そうとしているようなのだ
完成
2層目
1層目

何でポロックは下に描いたものを覆うように線を塗り重ねたんやろな
ポロックはネイティブ・アメリカンの文化に強く魅かれていたんだけど
その中に「砂絵」と呼ばれるものがあるんだ
それは治療の儀式に使われる絵で地面に砂で描かれた
描かれたのは神や自然の姿である
ただし描いた砂絵は儀式の終了とともに上から砂をかけられたりして完全に消されてしまう
ポロックはこうした描き方にヒントを得たのではないかとも言われているんだ
色んなものに影響を受けてたんやな〜〜
まあ本人がそう言っているわけじゃないからあくまでも推測なんだけどね

こうしたポロックの絵画は
主に2つの方向から評価されたんだ
1つは「平面的な絵画」を作り出したこと
前にも言ったけど写真が登場したことで絵画は変わらざるを得なかったんだよね
画家たちは写実を捨てて絵画にしかできない新しい表現を求めた
その答えの1つが「平面的に表現すること」だったわけなのだ
？
どういうことなのぜ？

たとえば物語の1場面を描いた絵はたくさんあるけど「物語を伝える」という点では文学の方が表現として適しているよね
グリム童話
赤ずきん
文学
絵画
うん
だから物語は絵画が真に表現すべきことではない
同じように遠近法を使って空間を表現しても写真には劣る
絵画
パシャ
写真
立体感は明暗で表わせるけどそもそも立体感を出したいなら彫刻を作れば良いハナシ
絵画
彫刻
身もフタもない〜〜〜
となると絵画にしかできない表現とは……？
それが「平面的に表現すること」だったわけなのぜ
平面
そう
抽象表現主義の絵画は同じような線や色彩で画面を埋め尽くすことで平面性を強調していると評価されたんだ
なるほど〜

もう1つの評価は「アクション・ペインティング」という観点からなされた
あくしょん・ぺいんてぃんぐ？
絵画作品を画家の行為の痕跡だと捉えることやろ？
作品そのものよりも画家の身振りに注目がいくことが多い
たしかにさっきポロックの映像を見た時描いている最中のポロックの姿が強く印象に残ったのだ

最近は制作過程を見せたり
パフォーマンス自体を作品にする
芸術動向が多いけど
それはこのアクション・ペインティングという
考え方に影響を受けてのことなんだ
私が高校の時に
やっていた
書のパフォーマンスにも
ポロックからの影響が
間接的にあるかもって
ことなのだ……
逆に日本の書芸術も
抽象表現主義に
影響を与えているんだけどね
日本の前衛書や
昔の禅僧の書に
影響を受けた作家もたくさんいた
フランツ・クライン《バットトレス》1956
マーク・トビー
《書的静物、No.3》1958
ポロックも晩年は
白黒の絵画を制作している
《こだま:No.25》1951
お互いに影響を
与え合ってたんやな〜
……
私がなんでポロックに
魅かれたのか
なんとなく
わかってきたのだ…

やっぱり私は絵具より墨汁ってことなのだ！
ダダッ
書道具店に行ってくる!!
この展開……
姉妹やだなァ
ッていうか
ゔぅ
私の絵硬いって言われたのぜ〜〜〜
まぁ「幾何学的抽象」と「非幾何学的抽象」はどっちが正解ってわけじゃないから好きに抽象絵画描いたらいいんじゃないかな……
うっうっ
#04 Fin

ポロック生涯年表

1912

0歳

ワイオミング州
コディで誕生

16歳

高校で美術を
学び、神智学に
興味を持つ

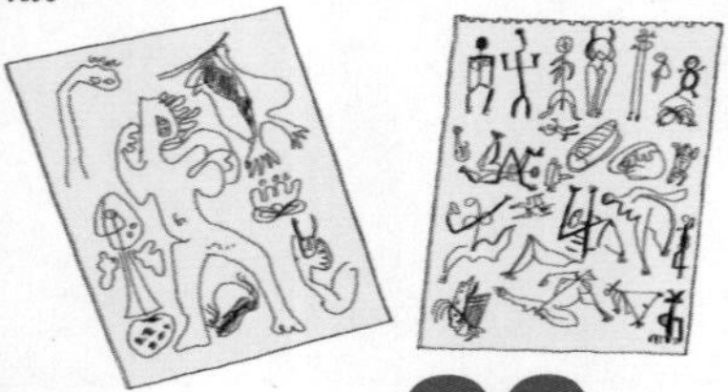

《素描》1939〜42

27歳

ユング派の
精神分析による
アルコール依存
症の治療を開始

素描を多数制作

30歳

シュルレアリスムの
自動筆記技法を試す

31歳

自動筆記の経験を描いた
《速記の人物》を発表

初の個展を開く

《速記の人物》1942

38歳

ハンス・ネイムスら
により制作風景が
撮影される

39歳

オールオーヴァー絵画の
制作をやめブラック・
ペインティングの
制作を開始

アルコール依存症が
再び深刻化

《こだま:No.25》1951

42歳

制作をほとんど
行わなくなる

《炎》1934～38

ニューヨークの美術学校アート・ステューデンツ・リーグに通う

18歳

若い頃はメキシコ壁画運動の作品を各地に見に行ったり実験的な制作をしたりしながら自己の創作の素地を作っていたんだよね

23歳

政府による失業者救済事業に参加し、ネクタイのデザインなどを手掛ける

25歳

アルコール依存症の治療を精神科で開始

33歳

画家リー・クラズナーと結婚

ニューヨーク州イースト・ハンプトンに移住

35歳

ベティ・パーソンズ画廊と専属作家契約を結ぶ

《大聖堂》1947

オールオーヴァー絵画は36～38歳の時に集中的に制作されたのだ

36歳

オールオーヴァー絵画の制作を本格的に開始

断酒に成功

《No.1（ラヴェンダー・ミスト）》1950

1956

44歳

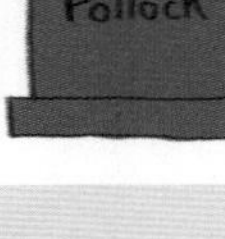
Jackson Pollock

自動車事故を起こし、死去。

COLUMN

抽象表現主義をバックアップした批評家たち

クレメント・グリーンバーグ
（1909～1994、アメリカ合衆国）

ハロルド・ローゼンバーグ
（1906～1978、アメリカ合衆国）

ポロックら抽象表現主義の作家たちの名が世界的に知られるようになった背景には、批評家たちによる理論的バックアップがあった。クレメント・グリーンバーグとハロルド・ローゼンバーグは、どちらもアメリカ出身の批評家であり、抽象表現主義を高く評価した。とはいえ、2人の批評理論は大きく異なるものである。グリーンバーグは、ポロックやニューマンらの絵画を「平面性」を強調する絵画と位置付け、そこにモネ以降の遠近法的表現を解体していく西洋絵画の潮流を見てとった。一方でローゼンバーグは、1952年に「アクション・ペインティング」という概念を提唱し、絵画の内容そのものよりも、絵画を制作する画家の身振りこそが重要となったのだと主張した。両者の批評は、今もなお、この時代の絵画を解釈する際の大きな参照点となっている。

COLUMN

抽象表現主義のその後の影響

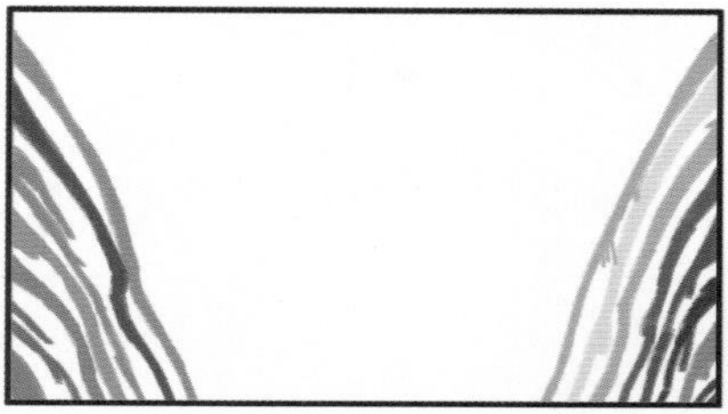

《アルファ・ファイ》1961

モーリス・ルイス
（1912〜1962、アメリカ合衆国）

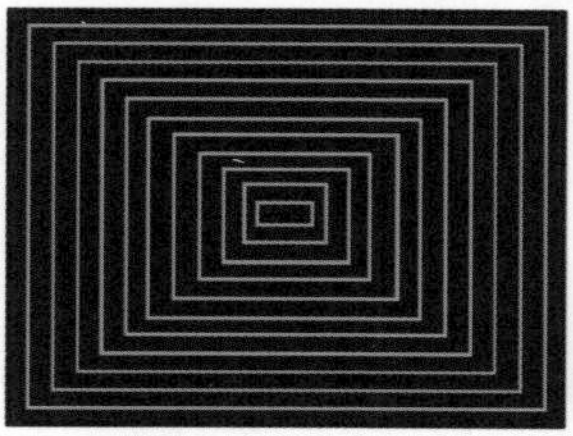

《トムリンソン・コート・パーク》1959

フランク・ステラ
（1936〜、アメリカ合衆国）

サイ・トゥオンブリー
（1928〜2011、アメリカ合衆国）

《無題（バッカス）》2008

1940〜50年代に隆盛した抽象表現主義の作品の特徴は、大きな画面を抽象的な形で覆う点にあった。こうした特徴は、当時アメリカで活動していたさまざまな作家たちに影響を与えた。

たとえば、モーリス・ルイスは、キャンヴァスに絵具を幾層にも流し重ねるという独自の技法を編み出して、巨大な抽象絵画を制作した。ルイスの作品は「カラー・フィールド・ペインティング」という動向に位置付けられる。また、フランク・ステラは、帯状の黒線を画面に反復する「ブラック・ペインティング」を発表し、後のミニマル・アートの先駆けとなった。即興的に線や数字、アルファベットを描き連ねて画面を構成するサイ・トゥオンブリーの作品は、抽象表現主義の第2世代とも考えられている。

抽象表現主義をもっと知るための
ブックガイド

ドリー・アシュトン
**『ニューヨーク・スクール：
ある文化的決済の書』**
南条彰宏訳、朝日出版社、1997年

ポロックなどの主要な作家を軸に、抽象表現主義の黎明から終末までを丁寧に追った本。アメリカ政府が行った連邦美術計画の内実や、抽象表現主義を取り巻いた批評家たちについても記述されている。

クレメント・グリーンバーグ
『グリーンバーグ批評選集』
藤枝晃雄編訳、勁草書房、2005年

批評家グリーンバーグは、抽象表現主義の作家たちと同時代を生き、アメリカ美術の新時代を作り上げていった。この本は、彼の批評文の中でも主要なものを邦訳したものである。文章から当時の熱狂が感じられるだろう。

Jackson Pollock: Interviews, Articles and Reviews
New York: The Museum of Modern Art: Distributed by H.N. Abrams, 1999

ポロックへのインタビューや、彼が雑誌に発表した文章などをまとめた本。その他にも、当時の主要な批評文も掲載されており、ポロックを多角的に知るためにうってつけの１冊となっている。

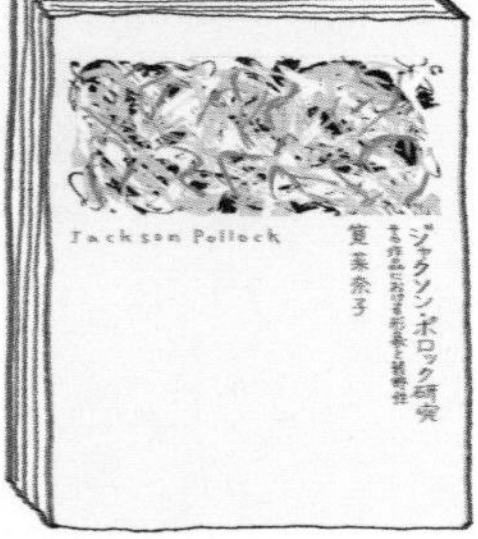

筧菜奈子
**『ジャクソン・ポロック研究：
その作品における形象と装飾性』**
月曜社、2019年

ポロックは常に抽象的な形を描いていたわけではなく、人物や動物などの具象的な形も描き続けていた。本書では、そうした形の変遷を追うとともに、これまで指摘されることのなかった作品の装飾性について検討を行う。

5

ポップ・アート

アンディ・ウォーホル

—華やかで、軽くて、シリアスな—

鴨川河川敷
ギョ
な
なにしてんの？
展示や
KYOTO
京都ビール
喉の渇きよ、永遠に……
～FOREVER KYOTO～
佐々木真希

は？
空き缶並べてるだけじゃん……
今まで色々見てきたけど抽象とか無意識とか小難しいねん！
アートはもっとカッコイイもんちゃうんか!?
ワシは皆に受け入れられる作品が作りたいんや!!
モワーン
どっちかっていうと受け入れられない作品を好んでいるんじゃや……

とはいえ既製品を使うレディ・メイドは続けたいわけね……

盆管
そういえばデュシャンのレディ・メイドってその後どう展開するわけ？

よう聞いてくれたわ
それがな「ポップ・アート」やねん
えっそうなの？
ポップ・アートって1960年代にアメリカで人気を博した動向だろ
大量生産品とか漫画といった大衆向けのイメージをアートにしたんだよね
ポップ・アートの代表的作家たち
アンディ・ウォーホル
（1928～1987、アメリカ合衆国）
《マリリン・モンロー》1967
資本主義や情報化社会の中でよく目にするイメージを作品に使用した。
THAT'S THE WAY--IT SHOULD HAVE BEGUN! BUT IT'S HOPELESS!
《絶望的》1963
ロイ・リキテンスタイン
（1923～1997、アメリカ合衆国）
コミックの1コマを拡大して絵画化しドットや鮮やかな色彩表現などを絵画の世界に持ち込んだ。
クレス・オルデンバーグ
（1929～2022、スウェーデン）
《落ちたコーン》2001
ハンバーガーやケーキなどアメリカでよく食べられるものを大型の立体作品に仕立てた。
大衆に受け入れられそうなポップ・アートとデュシャンの作品は真逆のようにも感じるけど…

たしかにポップ・アートだけを見るとそう思うんやけど
ポップ・アートに影響を与えた「ネオ・ダダ」を見ておくとデュシャンとの繋がりが見えてくんねん
ネオ・ダダの作家たち
ロバート・ラウシェンバーグ
(1925〜2008、アメリカ合衆国)
ジャスパー・ジョーンズ
(1930〜、アメリカ合衆国)
彼らは前世代である抽象表現主義の難解さを嫌い
1950年代にデュシャンの流れを継いで既製品を使用した作品を発表した
R.MUTT 1917
?
×
ネオダダ
ネオダダ

ロバート・ラウシェンバーグ

デュシャンと違う点は
ゴミに近いものを
作品のイメージに
使ったことやな

廃材のタイヤを
はめた
山羊の剥製
木板や油絵、印刷物で
できた「絵」

《モノグラム》
1955〜59

ラウシェンバーグは
立体物と絵を合体させた作品を
「コンバイン・ペインティング」と名付け
新しい絵画のかたちとした

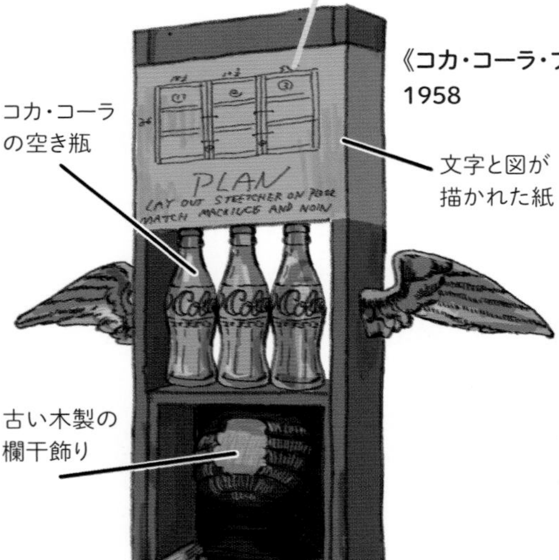
PLAN
コカ・コーラ
の空き瓶
文字と図が
描かれた紙
古い木製の
欄干飾り

《コカ・コーラ・プラン》
1958

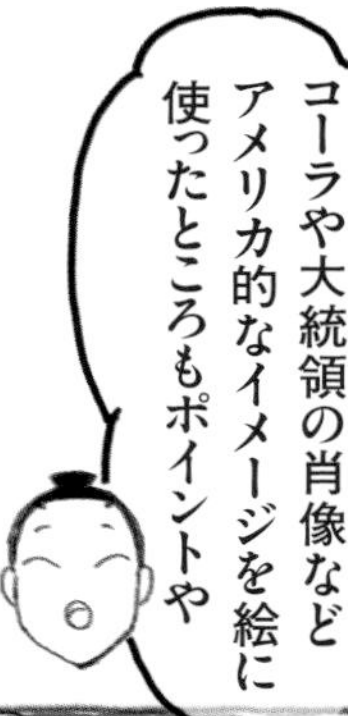
コーラや大統領の肖像など
アメリカ的なイメージを絵に
使ったところもポイントや

《遡及Ⅰ》1964

第35代アメリカ合衆国大統領
ジョン・F・ケネディ
（在任期間：1961〜63）
宇宙飛行士
…1960年代、アメリカはソ連と
宇宙進出を競っており、
メディアは宇宙関連の
イメージで溢れていた。

ジャスパー・ジョーンズ

《スリー・フラッグス》1958

アメリカ国旗を描いたキャンバスを
3枚重ねた作品。

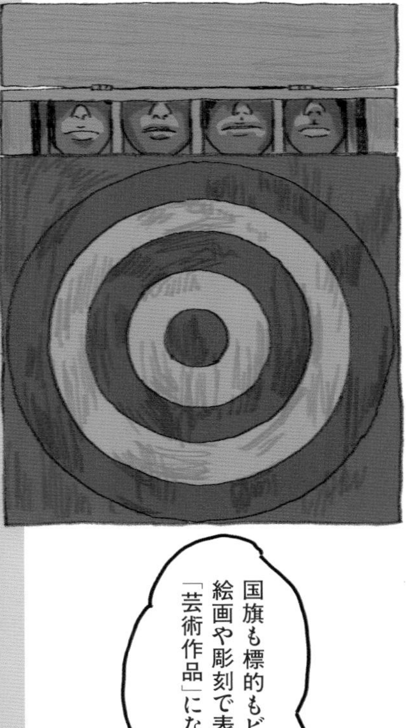

**《4つの顔のある標的》
1955**

ダーツの標的を絵画化。
上部には石膏で作られた
顔が4つ並んでいる。

国旗はアメリカ人が一番
目にするイメージだけど
それをわざわざ絵画にする
意味ってなんだろう

《塗られたブロンズ》1960

アメリカで売られている
ビール缶を手作業で模した作品。

BALLANTINE
XXX
ALE
BALLANTINE
XXX
ALE

国旗も標的もビール缶も
絵画や彫刻で表現したら
「芸術作品」になるのかな

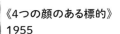

ネオ・ダダの流れを引き継いだのがイラストレーターとして爆発的な人気を誇っていたウォーホルや
アンディ・ウォーホル
（1928〜1987、アメリカ合衆国）
20代の頃よりイラストレーターとして人気を博していたが32歳頃からアーティストに転身アメリカのポップ・アートの牽引者となる
ウォーホルは売れっ子のイラストレーターやったからどんなイメージが大衆に受けるかようわかっとったんやろな
アーティストに転身してすぐに伝説となる作品を生み出した
《キャンベル・スープ缶》や
Campbell's
CONDENSED
ONION
MADE WITH BEEF STOCK
SOUP

ファッション雑誌に掲載されたウォーホルのイラスト

《キャンベル・スープ缶》 1962

VEGETABLE BEAN SOUP
TOMATO SOUP
CHICKEN SOUP
BEEF SOUP
ONION SOUP
GREEN PEA SOUP
PEPPER POT SOUP
これは当時売られていた32種類のスープ缶を絵にしたもので横一列に展示されたんや
スーパーの陳列棚みたいだね
大量生産品を絵にするっていう発想はネオ・ダダの作家と同じやな
あとこの作品のテーマは「アメリカ」でもある
ウォーホルはアメリカという国では金持ちであっても庶民と同じ大量生産の食品を食べているという事実を面白がってたんや
Andy Warhol
新潮社
落石八月月 訳
アンディ・ウォーホル
ぼくの哲学

アメリカという国の偉いところは金持ちでも貧乏人と
同じものを消費するっていうとこだ。[……]
どれだけ金があっても街角のホームレスが飲んでいるものより
おいしいコークなんて買えない。
コークはどれもぜんぶおんなじでコークはぜんぶおいしい。

（アンディ・ウォーホル『ぼくの哲学』落石八月月訳、新潮社、1998年、138頁）

ヨーロッパの貴族は庶民と同じものなんて食べてなかったもんな
そういう意味でアメリカは平等な社会やとウォーホルは思ってたんや
この絵も金持ちでも庶民でも理解できるもんなぁ
加えてウォーホルの新しさは
それまで大切だとされていた作者の個性や技術力を否定したところや

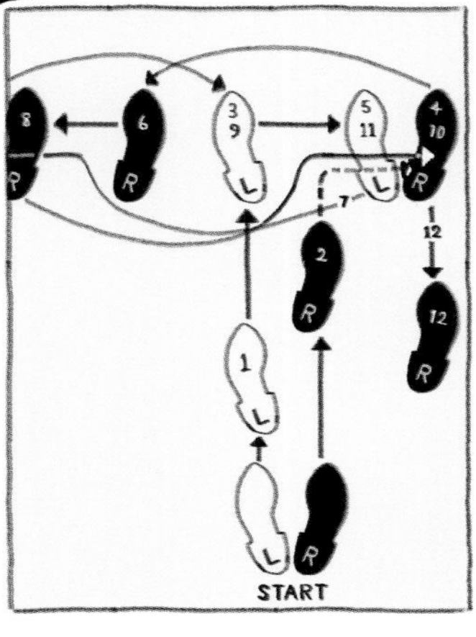
START

《ダンス・ダイアグラム1（フォックス・トロット：「ダブル・トウィンクルマン」）》1962
ダンスステップの説明図をただ拡大した作品。床に置いて展示することで、鑑賞者が作品を見ながらステップを踏めるようになっていた。

これを見れば「誰もが同じステップを踏める」

《ドゥ・イット・ユアセルフ（帆船）》1962
番号に従って決められた色を塗れば完成する塗り絵を、縦182.9×横254cmに拡大して作品にしたもの。

これを塗れば「誰もが同じ絵を描ける」

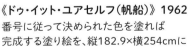

1963年には「ファクトリー（工場）」という名のアトリエをニューヨークに構えた
内装も銀色に統一して作品が機械的に制作されていることを演出したのだ
ファクトリーには人気モデルや俳優たちが遊びに来て制作を手伝ったりパーティをしたりしていたらしいで
ファクトリーに出入りしていたスターたち
ミュージシャン
ヴェルヴェット・アンダーグラウンド&ニコ
モデル
イーディ・セジウィック
小説家
トルーマン・カポーティ
アメリカではアートすら機械的に作られるってことか……
制作技法もシルクスクリーンという誰でも複製可能な技術を使ってたんだよね
せや
その技法で作品を大量生産することで「オリジナルは1つ」という芸術の価値も変えたんや
《モナリザ》はこの世に1枚しかないが
Campbell's
CONDENSED
ONION
MADE WITH BEEF STOCK
SOUP
BEEF
ONION
GREEN PEA
《キャンベル・スープ缶》はたくさん存在する……

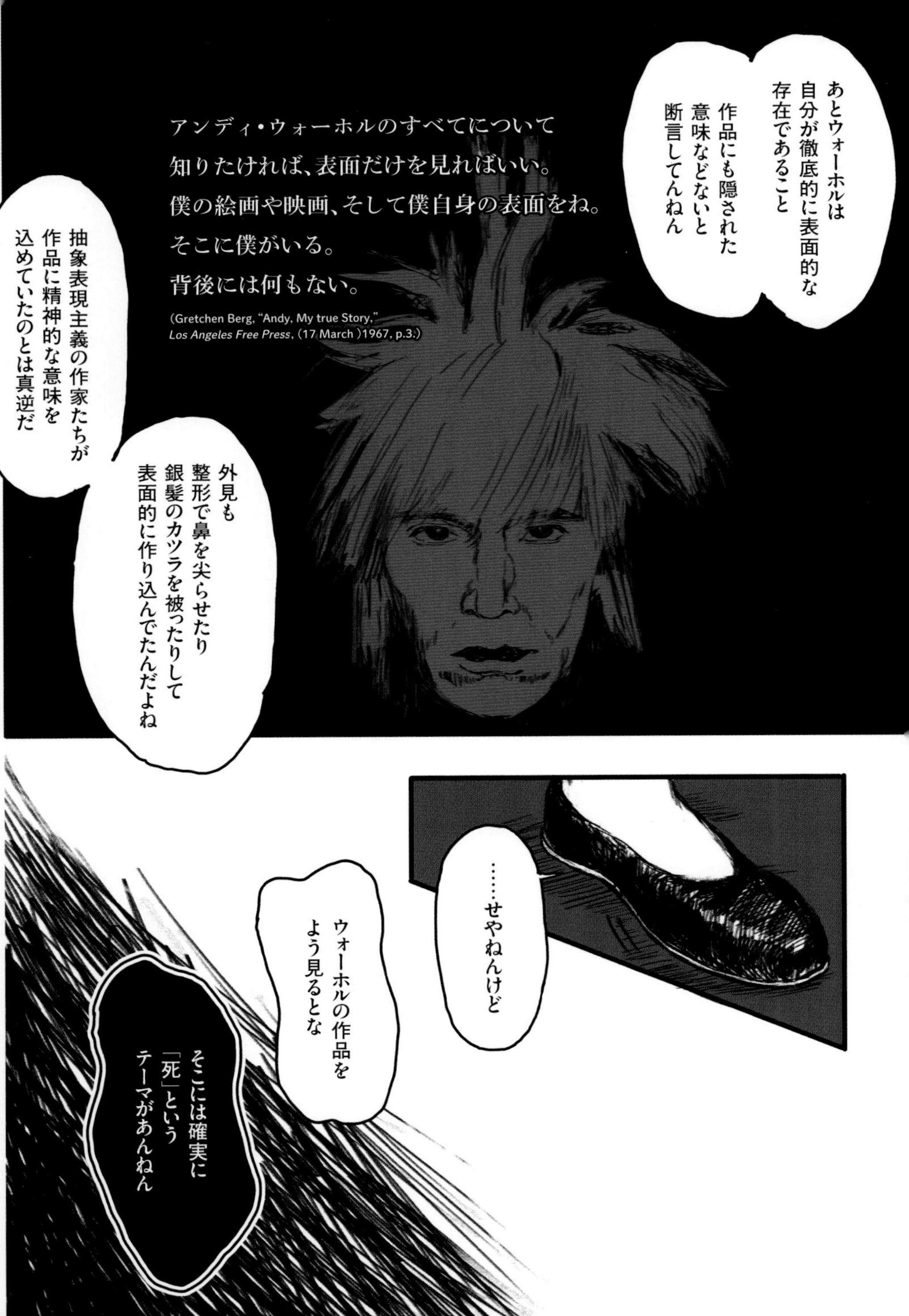
あとウォーホルは自分が徹底的に表面的な存在であること　作品にも隠された意味などないと断言してんねん
アンディ・ウォーホルのすべてについて知りたければ、表面だけを見ればいい。僕の絵画や映画、そして僕自身の表面をね。そこに僕がいる。背後には何もない。
(Gretchen Berg, “Andy, My true Story,” *Los Angeles Free Press*, (17 March) 1967, p.3.)
抽象表現主義の作家たちが作品に精神的な意味を込めていたのとは真逆だ
外見も整形で鼻を尖らせたり銀髪のカツラを被ったりして表面的に作り込んでたんだよね
……せやねんけど
ウォーホルの作品をよう見るとな
そこには確実に「死」というテーマがあんねん

たとえば有名な女優マリリン・モンローの肖像を使った作品
この作品が作られたのは実はマリリンが36歳で死去した年やねん
つまり遺影に近いってこと……？
ウォーホルはマリリンが死去したことをニュースで聞いてすぐにこの作品にとりかかったという
たしかにこのマリリンの顔は笑顔なんだけどちょっと怖いよね
口角が上がってるから笑顔に見えるけど目はうつろだし歯を食いしばっているようにも見える

モンロー・スマイルいう言葉があってな……
モンローは家庭環境が複雑で幼少期に里親を転々としていた
彼女の魅力的な笑顔はそうした過酷な環境の中で周囲の人間に気に入られるために作り出されたと言われる
このことから同じような境遇の子どもたちが無理に作る笑顔をモンロー・スマイルと呼ぶようになった＊
マリリンの作品は色を変えてたくさん刷られたんやけど中でも黄金のマリリンは印象的や
金地に像を描くのはキリスト教の教会にあるイコンみたいだね＊
この世にいない存在なのに像だけが複製されて広まっていくという点でもイコンとマリリンの作品は似ている

《ゴールド・マリリン・モンロー》1962

《全能者ハリストス（キリスト）》12世紀（アヤソフィア大聖堂）

＊教会に描かれる礼拝用の聖人の像のこと。

＊宮下規久朗『ウォーホルの芸術：20世紀を映した鏡』光文社新書、2010年、73頁

このマリリンの作品を皮切りに「死と惨禍」シリーズと呼ばれる人間の死を扱った作品が多数作られていく
《自殺》1964
ビルから人が飛び降りてる
車から死体が飛び出てるわ
《土曜日の大惨事》(部分) 1964
ウォーホルは自殺や事故の写真を雑誌などから引用して作品に仕立てていった
死刑執行に使われた電気椅子の写真だね
国家による殺人の道具とも言える
《大きな電気椅子》1967
シリーズの最後はケネディ大統領夫人のジャクリーン(ジャッキー)の写真を使った作品や
制作当時ジャッキー自身は生きていたんだけど夫のケネディが暗殺されたんだよね
《レッド・ジャッキー》1964

当時のメディアは
夫が死ぬ瞬間から
埋葬されるまでの
ジャッキーの様子をずっと
映していたんやけど
ウォーホルはそうしたイメージから
夫が生きていた頃のジャッキーと
亡くなった後のジャッキーを
並べて作品にしたんや
夫が生きていた頃の幸せなジャッキー
夫の葬儀に参列する悲痛に満ちたジャッキー
《ナイン・ジャッキーズ》1964
……
ポップ・アートは
ひたすらに華やかで
大衆受けするもの
だと思ってたけど
このシリーズは
人を見せ物にする
大衆文化の残酷さを
表わしている
ようにも見えるね
そして1968年には
ウォーホル自身も
死に瀕することとなる
ファクトリーに
侵入してきた女に
銃で撃たれたのだ
奇跡的に復活したものの
かつてのような制作は
なされなくなり
富裕層の肖像画を
受注制作するなどの
ビジネス的な活動が主に
行われるようになった

それにしても前世紀と比べて芸術のあり方は大きく変わったんだなぁ
アートを受け入れる層がヨーロッパとアメリカでは大きく違ったという点が重要やろな
過去にヨーロッパで芸術を受容していたのは貴族や上流階級といった一部の教養ある人々
$ 500,000
ZAZABY'S
それゆえアートの価値はお金に置き換えられ「売れる」ことが重要なファクターとなった
作品が過激になったり作家がスター化したりするのも作品の認知度を上げて高値をつけるためなんだね
対してアメリカではアメリカン・ドリームを実現した資本家たちが芸術を受容した
彼らは資本を有してはいるものの感覚は一般大衆と近しい
……
芸術の受容層が大衆に移ったことで芸術作品のあり方が変わったっていうの江戸時代の琳派《りんぱ》っぽいな
そうなん？

江戸時代って大きな戦乱もなく
町人が裕福になった時代だろ
だから町人向けの文化が
発展したんだけど
中でも画期的だったのが
尾形光琳《おがたこうりん》（1658〜1716）の作品
琳派の名前の
由来になった
作家やろ
彼は京都の裕福な
呉服屋の生まれで
それまで顧客だった
公家や皇族好みの
優雅な造形を引き継ぎながらも
時代に合わせて
町人たちにウケる
大胆な造形を作り出したんだ
代表作のひとつが
《燕子花図《かきつばたず》》
燕子花が
反復されとる！
同じ形を繰り返すのって
インパクトあるよなぁ
ウォーホルの作品でも
繰り返しは重要な特徴
だったよね
光琳は他に
《紅白梅図》
なんかも有名だ
金箔の余白が
《ゴールド・マリリン・
モンロー》みたいや
《燕子花図》18世紀

光琳の革新的な造形は町人の間で大流行して
光琳文様っていう光琳風の文様が皿や着物につけられて広まったくらいだ
光琳千鳥
光琳梅
光琳松
それってウォーホルの作品イメージが大量生産品にプリントされて広まっていったのと似てるかもなぁ
Warhol
Campbell's
ONION
SOUP
ハッ
ワシ缶なんか展示してる場合ちゃうかった
目指すべきは現代京都の尾形光琳や
呉服屋に弟子入りしてくるわ!
メキョ
そうじゃない気がするけどなぁ……
#05 Fin

ウォーホル生涯年表

1928

0歳

ペンシルバニア州
ピッツバーグで生まれる
本名アンドリュー・ウォーホラ

17歳

カーネギー工科大学
絵画デザイン学科に入学

《マリリン・モンロー》1967

35歳

NYの街中に
「ファクトリー」を
設立

「死と惨禍」シリーズ
（1964～1968）

36歳

「ジャッキー」
シリーズの制作を
開始

《レッド・ジャッキー》
1964

晩年はビジネス色の強い
肖像画を制作している
イメージが強いけど
他にも作品が
作られていたんだね

48歳

『ぼくの哲学』
を出版

Andy Warhol
アンディ・ウォーホル
ぼくの哲学

21歳

大学を卒業
ニューヨーク
に移住

20〜30代前半まで
ファッション雑誌の
イラストやデザインを
手がけて人気となる

34歳

アーティストに転身
「キャンベル・スープ缶」
「ドゥ・イット・ユアセルフ」
「マリリン」
シリーズの制作開始

《ドゥ・イット・ユアセルフ（帆船）》
1962

《キャンベル・スープ缶》1962

40歳

ヴァレリー・ソラナス
がスタジオで
ウォーホルを狙撃

42歳

注文肖像画シリーズ
の制作が増加

46歳

身の回りの物を雑多に
段ボールに詰め始め、
《タイム・カプセル》
と名付ける

57歳

ダ・ヴィンチの
作品をもとに
「最後の晩餐」
シリーズを制作

1987

58歳

胆嚢の病気で死去

COLUMN

その他のウォーホル作品

《花》1964

色や大きさを変えて千点近く制作された

《ブリロ・ボックス》1964

木の板にペイント

《眠り》1963

ボーイフレンドの寝姿を5時間以上映した映画

《エンパイア》1964

日暮れから夜にかけてのエンパイア・ステート・ビルを8時間映す

ウォーホルは立体作品も手掛けている。《ブリロ・ボックス》は、食器洗い用品の外箱を模した作品である。箱を天井まで積み上げて、店の倉庫のように展示することで、アートの空間を日常の空間のように演出した。

「花」シリーズは、ウォーホルの作品の中で最も売れたシリーズである。だが、この作品は雑誌の写真を無断使用していたため、ウォーホルは著作権侵害で訴えられて敗訴している。

ウォーホルは1963〜68年にかけて60本もの映画を制作した。そうした作品には、一般的な映画に見られるような、カタルシスを得るための物語や演出は存在しない。延々と続く静止画のような映像を見続けることで、鑑賞者は「時間」の存在を否応なく意識する。

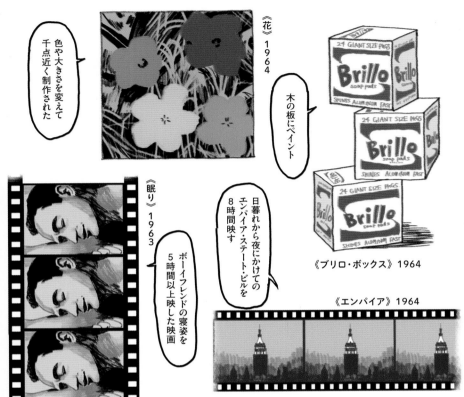

ポップ・アートの始まりと、その後の展開

窓の外はアメリカの
ワーナー・シアター
アメリカの車メーカー
フォード社のエンブレム
当時最新のテレビ
「ブリティッシュ・ポップ」の
代表的作家

リチャード・ハミルトン
《一体何が今日の家庭をこれほどまでに変え、魅力的なものにしているのか》1956

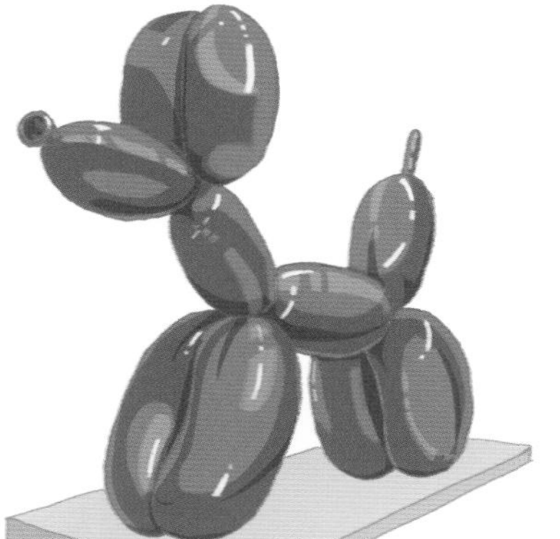
金属製で
大きさは3m以上
「ネオ・ポップ」の
代表的作家

ジェフ・クーンズ
《バルーン・ドッグ》1994～

ポップ・アートが始まったのは、1950年代のイギリスでのことであった。「ブリティッシュ・ポップ」と称される作家たちが、アメリカの新聞・雑誌の画像をコラージュした作品を発表し始めた。第二次世界大戦で深刻な被害を受けたイギリスにとって、新しい商品や文化を大量に生み出すアメリカは魅力的に見えたのだ。その後、彼らの作品はアメリカの作家たちにも大きな衝撃を与え、アメリカでもポップ・アートが花開くこととなった。

ポップ・アートは1960年代に隆盛したが、80年代以降には「ネオ・ポップ」と呼ばれる動向も生まれている。アメリカではジェフ・クーンズが大量生産のおもちゃを巨大な立体作品に仕立て、日本では村上隆がアニメのイメージを絵画や立体作品にした。

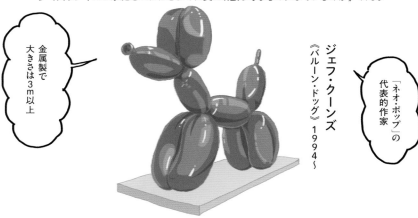

ポップ・アートをもっと知るための ブックガイド

ハル・フォスター

『第一ポップ時代：ハミルトン、リクテンスタイン、ウォーホール、リヒター、ルシェー、あるいはポップアートをめぐる五つのイメージ』

中野勉訳、河出書房新社、2014年

アメリカの美術評論家フォスターによるポップ・アート論。ポップ・アートの第1世代にあたる5人の主要作家の作品について、イメージと主体の関係性に着目しながら論じている。

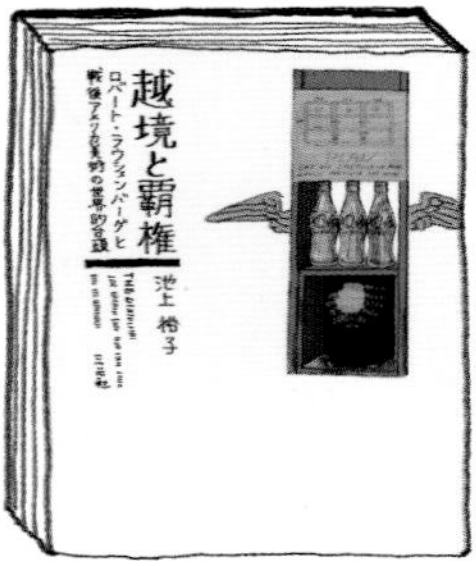

池上裕子

『越境と覇権：ロバート・ラウシェンバーグと戦後アメリカ美術の世界的台頭』

三元社、2015年

ラウシェンバーグは1980年代に、さまざまな国に滞在して制作するというアートレジデンス型の活動をいち早く行っていた。本書は、そうしたラウシェンバーグの越境的な姿勢に着眼し、作品を分析していく。

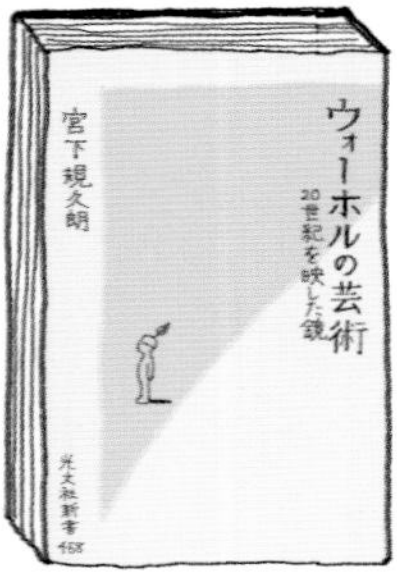

宮下規久朗

『ウォーホルの芸術：20世紀を映した鏡』

光文社新書、2010年

キャンベル・スープ缶、マリリン、さまざまな死を表象した作品など、ウォーホルの主要な作品が丁寧に紹介され、鋭い解釈が加えられる。本書を読めば表面的であるはずのウォーホル作品の深層を知ることができるだろう。

河野元昭監修

『年譜でたどる琳派400年』

淡交社、2015年

琳派は、17世紀後半に俵屋宗達から始まった。その造形は現代まで継承されている。本書には、主要な作品の図版だけではなく、年表も載せられており、作家や作品を時代背景と照らし合わせて理解することができる。

6

コンセプチュアル・アート

ヨーゼフ・ボイス

—アイデアはアートを超越する—

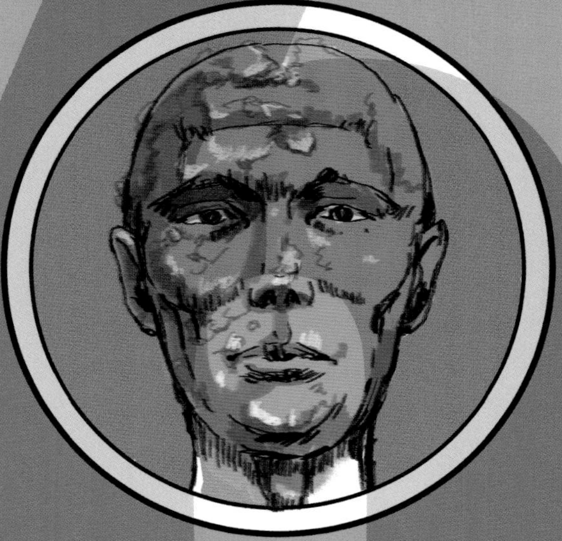

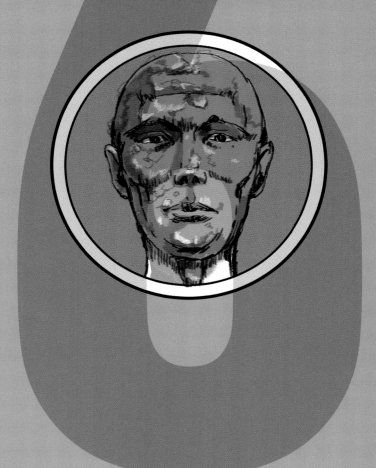

パタン
Andy Warhol
落石八月月 訳
新潮社
アンディ・ウォーホル
ぼくの哲学
ふーー
ポップ・アート
俗っぽいと思いきや
生死の概念が絡んで
シリアスだったなぁ
にしても
20世紀の美術は
色々と広がりすぎてて
わけわからなく
なってきた
頭がガチャガチャして
ダメだ
無になりたい……
こういう時は……
臨済宗
大本山
建仁寺

——建仁寺
坐禅会
隣
失礼します
あ、はい
チラ
バシ
バシ
——本日の会は以上となります
お疲れ様でした
あのっ
このあたりの大学生ですか？
こういうところで同い年くらいの人に会うの珍しくて

＊一休宗純。室町時代の臨済宗の禅僧

建仁寺は
坐禅だけでなく
海北友松《かいほうゆうしょう》*の絵や
龍の天井画が見れて
お得です
小泉淳作《双龍図》2002
美術も好きなんだ!
僕は美術史専攻なんだ
最近
芸術系の大学の子と
よく話すんだけど
現代の美術って
ほんとわけわかんないんだよ
僕はこういう
日本の昔の美術が好きなのに
そういう世界じゃ
なくなってるみたい
たとえばどんな
作品が
あるんですか?

＊安土桃山〜江戸時代の絵師。建仁寺には《雲龍図》など複数の絵がある。

コンセプチュアル・アートにおいては、コンセプトのアイデアが作品の最も重要な側面である。作家がコンセプチュアルな芸術形式を用いる場合、すべての計画と決定はあらかじめ行われていて、実際の制作は取るに足らない行為であることを意味する。アイデアは芸術を作る機械となるのだ。

(Sol LeWitt "Paragraphs on Conceptual Art," *Artforum*, June 1967, p. 80.)

1966年から
ルウィットは正立方体を増殖させていくような作品を作り始めたんだ
これは立方体を2×2×2 3×3×3 ……と規則的に増やして並べた作品だ
作品というよりそのコンセプトである数的な構成原理を見せているのがわかりますね
1968年からは作品の作り方を記した指示書を作って他の人々に制作を任せる壁画作品シリーズを始めた
CERTIFICATE
DIAGRAM
指示書には壁面にどのように絵を描くかが図示されているんですね

《ストラクチャー（正方形として1,2,3,4,5）》
1978〜80

《ウォール・ドローイング#49》の指示書
「壁を縦に15等分し、それぞれの部分を
さまざまな線と色を組み合わせて埋めなさい。
赤、黄、青、黒の鉛筆で描くこと。」

《ウォール・ドローイング#370》1982

《ウォール・ドローイング#1136》2004

《ウォール・ドローイング#439》1985

《ウォール・ドローイング#1262》2009

《ウォール・ドローイング#579》1988

そして
コンセプチュアル・アートといえば
この人のこの作品
ジョセフ・コスース
（1945〜、アメリカ合衆国）
chair
《1つと3つの椅子》1965
写真の椅子
本物の椅子
辞書でひいた
椅子の定義
これは
「椅子に関する
私たちの認識構造」を
問題としているんだ
ひとくちに「椅子」と言っても
現実の物としての「椅子」
頭の中に思い浮かぶ
イメージとしての「椅子」
言語的な「椅子」の定義
という3つの椅子が
あるということですね
ね!?
わけわかんない
でしょ??
はーー

美術ってやっぱり物としての美しさが大事だと思うんだよ
この天井絵みたいにさ
……
コンセプチュアル・アートの考え方は建仁寺の庭園と通じているかもしれませんね
方丈庭園◎△□乃庭《まるさんかくしかくのにわ》です
？
禅宗の四大思想（地水火風）を表現した庭で
奥の井戸が地（□）真ん中の苔が水（◎）手前の盛砂が火（△）に見立てられているそうです

○△□はただの形に過ぎないのに そこに精神的な意味を込めるというのは コンセプチュアル・アートに そっくりだと思いませんか?
うーん、まぁ そうか……
それにコンセプトが大事 という精神がアートの幅を 広げてくれたように思います
現代アートって 哲学・科学・政治・文化人類学など 色んなテーマを扱いますよね
たしかに王様の肖像画を 描いていた時代に比べると 幅広いかも……
実は私 結構好きなんですよ 現代アート
と言っても 知識は偏っているのですが
ヨーゼフ・ボイスという作家を ご存知ですか?
いや?

ヨーゼフ・ボイス
（1921〜1986、ドイツ）
1960年代から活躍したドイツの作家です
脂肪とフェルトを素材とした立体作品で有名なんですが
これらの素材は彼の従軍体験に由来するものなんです
《脂肪の椅子》1964
脂肪の塊
フェルト
《グランドピアノのための等質浸潤》1966
ボイスは第二次世界大戦時、空軍兵として従軍中にクリミア半島に墜落した
落下して瀕死の重傷を負ったボイスを助けたのは現地の遊牧民たちであったという
遊牧民たちはボイスの体に脂肪を塗りフェルトにくるむことで体温を保持した

ボイスはほかに蜂蜜も使用しますがこれは生命のエネルギー源という意味があるようなんです
1965年の個展でボイスは自らの頭に蜂蜜を塗りその上に金箔を貼り付けた
そして1匹の死んだウサギを抱えてパフォーマンスを始めた
《死んだウサギに絵を説明する方法》1965
会場には自作の絵が展示されておりボイスは1枚1枚の絵の前でウサギに何かを語りかけていた
私はウサギの前足をもって、絵に触らせながら、その絵のことを話してやりました。(……)その絵の何が本当に重要なのかを知りたければ、ただ絵をじっくりみるべきだと、ウサギに言っていたのです
（「ボイス+パレルモ」 My Book Service Inc.、2021年、306頁）

ボイスの作品のテーマは人々の思考を促すことです
この作品で死んだウサギは死んだ思考を象徴しています
その一方でボイスが頭に塗った蜂蜜と金箔はエネルギーを与えられて活性化された思考を表わすのでしょう
活性化された思考は金色の輝きを放つってことなのかな
生きている思考と死んでいる思考がここでは対立的に表わされています
こうした対立構造はボイスの作品の至るところに出てきます
《私はアメリカが好き、アメリカも私が好き》1974

これはニューヨークの画廊で 1頭のコヨーテと 3日間過ごすという作品です
ボイスは画廊に向かう際 フェルトで身をくるみ 救急車にのって 周囲の光景を見ない ように直行しました
ボイスは コヨーテと 親しくなろうと 振る舞う一方で
トライアングルを 打ち鳴らしたりして 脅迫的な雰囲気を 漂わせたりもする
床には 経済紙「ウォール街新聞」が 撒き散らされていて コヨーテはその上に 尿をひっかける
コヨーテは先住民である ネイティヴ・アメリカンが 神聖視していた動物だね
現代において 神聖視される経済と 対比させられて いますね
アメリカの 過去と現代の変化について 考えずにはいられないな

1970年代半ばから ボイスは政治色を かなり強めていきます
1976年と79年に 欧州議会の議員選挙に 立候補しているんだ!!
アーティストは やめちゃったの!?
いえ
それが アーティストでは あり続けるのです
ボイスが新たに 作ろうとしていたもの それは「社会※」でした
地球上に生きるすべての人が 社会有機体の彫刻家、形成者、造形家となるためには、どうすればよいのだろうか。
（フォルカー・ハーラン『ヨーゼフ・ボイスの社会彫刻』伊藤勉訳、人智学出版社、1986年、60頁）
もはや社会を 作品と考えたのか
はい
新しい社会を創るために 選挙に出馬したり 大学を創設したり 政党の設立に関わったりしたのです

そうした中で1982年に始められた作品が《7000本の樫の木》です
カッセル市内に7000本の樫の苗を植えてそばに玄武岩を置くというプロジェクトで
ボイスだけではなくたくさんの市民が関わりました
そうすることで社会を創りあげるのは自分たちだという意識をも植え付けたのです
この作品では植物と岩が対立関係にあるのかな?
植物は成長するもの
岩は不変のもの
たしかに玄武岩と対比させると樫の木の成長がわかりますね
植物は活きた思考を
岩は死んだ思考を表わしているのかもしれません
活きた思考が町の光景を変えていくんだ

うーん
とはいえ
やっぱりこれを
芸術とすることには
違和感があるなぁ
政治とか環境活動の
ようにも感じるよ
……
私の好きな禅の問答に
「南泉斬猫」というのが
あるんですけど……
——むかし
山寺で僧たちが
捕まえた子猫をめぐって
二手に分かれて争っていた
そこに現れた南泉和尚は
僧たちを叱りつけ
「悟りの道に通じることを
言えば猫を救うが
誰も言わなければ斬る」
と問うた
しかし誰も
何も言えなかったため
和尚は本当に猫を斬って
殺してしまった
その晩
一番弟子である趙州が
出先から帰ってきたため
和尚は趙州なら
どう答えるかを問うた

すると趙州は履いていた草履を頭の上にのせて黙って部屋を出ていった
それを見た南泉和尚は「おまえがあの場にいれば猫を救うことができたものを」と嘆いたという
????
あはは
もちろんこの問答への正しい解釈は存在しません
ただ私には対立している者たちを仲裁するには
履き物を頭にのせるぐらい固定観念や思い込みに縛られない発想や行動が必要だという教えに思えるんですよね
そう考えるとボイスが社会のさまざまな対立を解決するために
アートという突拍子もない活動を持ち出したことも非常に納得がいくんです
禅も不可解なところが多いので現代アートと通じるかもしれないですねっ
なんだかすごい人と知り合いになってしまった
#06 Fin

ボイス生涯年表

1921

0歳

ドイツ西部
クレーフェルトで
生まれる

23歳

クリミア半島
上空で墜落し、
現地の
タタール人
に助けられる

40歳

デュッセルドルフ
芸術アカデミーの
教授に就任

42歳

アクション作品の
発表を開始

43歳

アクション《クーカイ、アコペー —— ナイン！ ブラウンクロイツ、脂肪コーナー、モデル脂肪コーナー》を発表するが、乱入した学生に殴られる

《クーカイ、アコペー —— ナイン！
ブラウンクロイツ、脂肪コーナー、
モデル脂肪コーナー》1964

58歳

緑の党から欧州議会に
立候補する

立候補するも残念ながら落選してしまったそうです

ボイスは芸術を治療行為とも捉えていた
墜落して助けられた経験が大きかったのかな

《脂肪の椅子》1963

25歳

デュッセルドルフ芸術アカデミーで彫刻を学ぶ

31歳

独自の彫刻・熱理論を展開し、蜜蠟や脂肪を作品に用い始める

34歳

婚約の解消や、身体的疲労から約2年間鬱状態になる

《私はアメリカが好き、アメリカも私が好き》1974

53歳

「創造性と学際的探究のための自由国際大学」を設立

《私はアメリカが好き、アメリカも私が好き》を発表

61歳

《7000本の樫の木》の1本目を植樹

1986

65歳

心不全により死去

Joseph
Beuys

1987

長男ヴェンツェルにより《7000本の樫の木》の最後の1本が植えられる

《7000本の樫の木》
1982

アートに変革を！ 多種多様なコンセプチュアル・アート

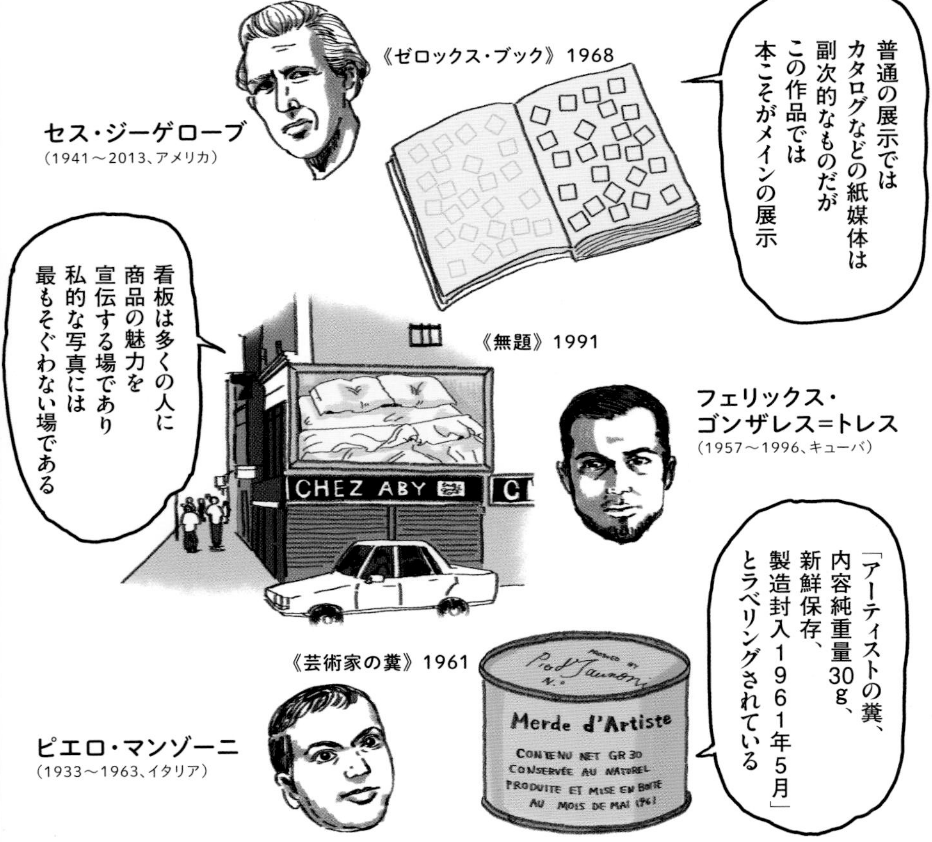
《ゼロックス・ブック》1968
セス・ジーゲローブ
（1941～2013、アメリカ）
普通の展示ではカタログなどの紙媒体は副次的なものだがこの作品では本こそがメインの展示
看板は多くの人に商品の魅力を宣伝する場であり私的な写真には最もそぐわない場である
《無題》1991
CHEZ ABY
フェリックス・ゴンザレス＝トレス
（1957～1996、キューバ）
「アーティストの糞、内容純重量30g、新鮮保存、製造封入1961年5月」とラベリングされている
《芸術家の糞》1961
Merde d'Artiste
CONTENU NET GR 30
CONSERVÉE AU NATUREL
PRODUITE ET MISE EN BOITE
AU MOIS DE MAI 1961
ピエロ・マンゾーニ
（1933～1963、イタリア）

コンセプチュアル・アートは、鑑賞者の思考をいかに変革させるかに重きを置くゆえに作品の形態も多様である。

ジーゲローブは、当時最新のゼロックス・コピー機で、作家たちに作品を制作してもらい、それらを1冊の本にまとめて紙面上だけで成立する展覧会を開いた。

ゴンザレス＝トレスは、ダブルベッドの写真をニューヨーク中の看板に展示した。彼はエイズで恋人を亡くしており、この写真はともに寝ていた恋人の不在を仄めかす極めて私的なものである。公の場を私的な作品で侵犯した作品だ。

マンゾーニの作品は愉快だ。自分の糞便入りの缶詰を作品とし、同量の純金と交換しようとした。アーティストが作れば何でも作品となるのだから、その糞便も作品となるというわけだ。

COLUMN

ボイスの芸術による社会変革

私の考えによると、芸術は
進化を促す唯一の力なのである。
つまり人間の創造性からのみ、
情況は変化しうるのである。
『ヨーゼフ・ボイスの社会彫刻』前掲書、34頁

《クーカイ、アコペー——ナイン！ブラウンクロイツ、脂肪コーナー、モデル脂肪コーナー》

1964年7月20日に上演したアクション。上演の途中で、ボイスは右翼の学生から暴力を受けて流血した。この日は、ヒトラー暗殺から20年目の日で、ボイスはナチ党の宣伝大臣ヨーゼフ・ゲッベルスの演説録音を流しながらアクションを行っていた。作品は中断されたものの、その後、参加者を交えた議論が朝まで続いたという。

アクションの中では登壇者たちが敬礼したり

ボイスがメトロノームの動きに合わせて楽譜に塗料を塗りつけたりする

学生に殴られた後鼻血を流しながら十字架を掲げて敬礼するボイス

「人は誰もが芸術家」であると語り、芸術による社会の変革を目指したボイス。１人１人が社会を変革する主体となることで、資本主義や社会主義から脱した新しい社会を造形しようとしたのである。

こうした活動の足がかりとなったのが、ボイスが「アクション」と呼ぶ一連のパフォーマンス作品である。フェルト帽とフィッシャーマンベストを着用したボイスが、フェルトや脂肪、動物などを用いて、政治や宗教などをテーマとした作品を発表した。アクションは時に、周囲の怒りを買うこともあり、ボイスは観衆から暴力を振るわれることもあった。

他にも、大学を設立したり、議会へ立候補したりするなど、ボイスは人々と意見を交わすことを常に大切にしており、そのすべてを芸術活動としていた。

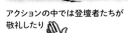

コンセプチュアル・アート をもっと知るためのブックガイド

トニー・ゴドフリー著
『コンセプチュアル・アート』
木幡和枝訳、岩波書店、2001年

コンセプチュアル・アートが隆盛した1960年代後半から70年代初頭にかけてのさまざまな作品を解説した本。デュシャンの作品からの流れも押さえられており、読めば動向の全容を把握することができる。

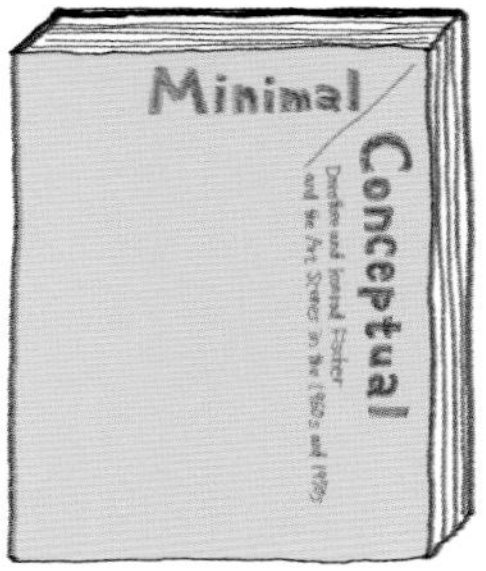

『ミニマル／コンセプチュアル：ドロテ＆コンラード・フィッシャーと1960-70年代美術』
共同通信社、2021年

ミニマル / コンセプチュアル・アートの初期からの蒐集者であったドロテ＆コンラード・フィッシャー夫妻のコレクションをもとにした展覧会図録。作品のほか、夫妻と作家たちとの書簡や指示書といった貴重な記録も掲載されている。

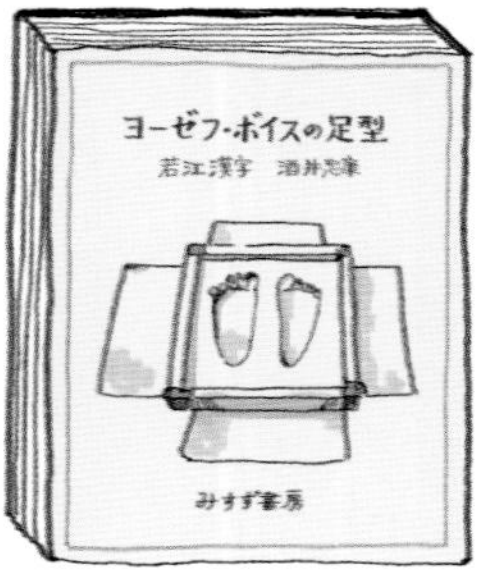

若江漢字
『ヨーゼフ・ボイスの足型』
みすず書房、2013年

ボイスが存命していた頃に、実際に親交を持っていた作家・若江漢字によるボイス論。ボイスと過ごした日々の記憶とともに、その作品を貫く哲学や、戦後美術におけるボイスの重要性が、熱のこもった文体で語られる。

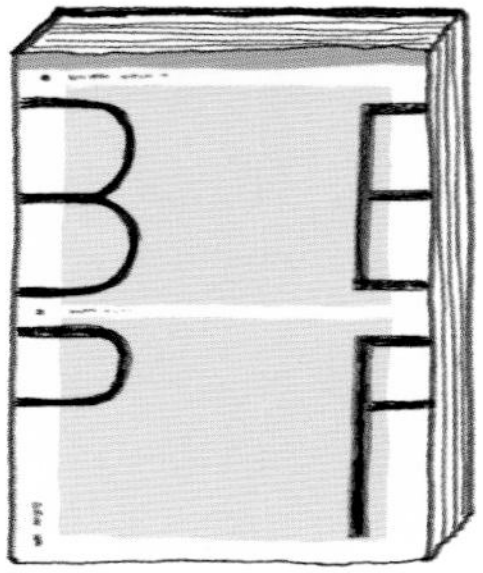

『ボイス＋パレルモ』
My Book Service Inc. 、2021年

ボイスと、その弟子ブリンキー・パレルモを同時に扱った展覧会の図録。パレルモは抽象画家であるため、両者の作品は外見上は大きく異なっている。だが、この展覧会では両作家の奥底に共通する精神が汲み取られている。

7

ランド・アート／環境アート

—広大な自然・環境をキャンバスに—

——7月
祇園祭《ぎおんまつり》
あっ
あおくーん!
祇園祭
来てたんやね
まあね
祇園祭の山鉾巡行《やまほこじゅんこう》はユネスコ無形文化遺産だし見ておかないと
相変わらず勉強熱心やなぁ
……
せや…!
夏休みバイト行かへん?
人数が必要みたいなんで友達も連れてきてくれると助かるんやけど
……いいけど
ほんま!?
やったー
こっちは江藤姉妹連れてくわ〜

友達……
吉本くん来るかな
JR 京都 Kyoto Station
JR 京都 Kyoto Station
こっち こっち～
吉本です よろしくお願いいたします
よろしくー
で、人数がいるバイトってなんなの？
「ランド・アート」ってわかる？
いや？
地球を作品の素材とするアートのことなのぜ
ランド・アートは1960年代後半にアメリカの作家たちが始めた動向で
自然や環境を使って造形物を作ったりパフォーマンスを行ったりするものである

代表的な作家としては……
マイケル・ハイザー
（1944〜、アメリカ合衆国）

《亀裂1 ナイン・ネヴァダ・ディプレッションズ》1968
アメリカ合衆国ネヴァダ州

干上がった湖底を158mにわたって3mの深さでジグザグに掘った作品。風雨にさらされることで次第に穴は埋まっていくが、こうした自然の変形作用も作品の一部であり、人間と自然との協同作品と言える。

他にも似た作品が9つ作られたんですね
2012年には340tの巨石を頭上に置く《浮遊する塊》をロサンゼルス・カウンティ美術館に設置したのだ

《浮遊する塊》2012
アメリカ合衆国カリフォルニア州

高さ6.4mの壁が巨石を支えており、鑑賞者はその下をくぐり抜けることができる。運搬と設置にかかった費用は、およそ1000万ドルと言われている。

大都会にこれだけの量の土があるって異様に見えるのぜ
土があると湿度や匂いも違うわ
雷のように恐ろしく美しいものは人には作れないのだ……
で
今回はそうした作品制作を手伝うバイトやねん

ウォルター・デ・マリア
(1935～2013、アメリカ合衆国)

《ニューヨーク・アース・ルーム》1977
アメリカ合衆国ニューヨーク州
ニューヨークのギャラリーの1室を300kgの土で埋め尽くした作品。鑑賞者は中に入ることができず、自然からの疎外を味わうことになる。

《ライトニング・フィールド》1977
アメリカ合衆国ニューメキシコ州
400本のステンレスポールを1-1.6km四方に設置することで、落雷を集める場を作り上げた。
鑑賞者は近くに設置された施設で落雷を待つことができる。

こういう大規模な作品は たくさんの人の力が必要で 作家は作業員を雇って 作品を作るのだ
でも手伝うって どうやって?!
それはな……
タイム スリップや〜〜〜!
1970 ユタ州
最初に手伝うのは ロバート・スミッソンの作品や
作品名は 《スパイラル・ジェティ》
ロバート・スミッソン
(1938〜73、アメリカ合衆国)

ドシャア
ゴホゴホッ
制作するには なんと6650tの 土砂を運ばんとあかん！
1970年にユタ州の グレートソルト湖に作られた 長さ約460m 幅4・6mの 栈橋《さんばし》や
なななな なにこの作品 何が重要なわけ?!
それを理解するには スミッソンの他の 作品も見ないとあかんな
——スミッソンが 自然環境を作品に 用い始めたのは 1968年のこと

ギャラリーに特定の場所から運んできた土などを置く「ノン-サイト」と呼ばれるシリーズを発表し始めた
ノン-サイト？
スミッソンの作品には「サイト（場所）」と「ノン-サイト（非-場所）」という区分があるのぜ
「サイト（場所）」は特定の野外の場所に置かれた作品のことで
「ノン-サイト（非-場所）」は特定の場所から持ってきた石や砂を美術館やギャラリーに置いた作品のことを指すのだ
こうした作品が「ノン-サイト」なんですね
その場所の地図
その場所の写真
「ノン-サイト」は実際の場所と関係しながらも完全に異質な場所に置かれたもののことや

《ノン-サイト「一連の残骸」、ベイヨンヌ、ニュージャージー》
1968、アメリカ合衆国ニュージャージー州
ニュージャージー州の破壊された高速道路から集められたコンクリートの破片が箱の中に詰められており、壁にはその高速道路の地図と写真が並べられている。

じゃあ「サイト」の作品は?
《グルー・ポア》1970、カナダ、バンクーバー
ニカワがバケツから斜面に流されている。時間とともにニカワは土の中に吸収されて、最終的には風化する。自然が持つ変容作用も作品の一部である。
自然の力によって作品の形が変わったり朽ちて無くなったりすることにスミッソンは関心を持っていたんや
《ブロークン・サークル―スパイラル・ヒル》
1971、オランダ、エメン
水辺に作られた直径約43mの「ブロークン・サークル」と、近くの丘に盛り上げられた直径約22mの「スパイラル・ヒル」から成る作品。この場所は廃棄された土砂採石場跡であり、荒廃した土地をアートが印付け、再生しているとも言える。
荒らされて放置された環境に介入することで作品を制作したんですね
スパイラル・ヒルの形は反時計周りでバベルの塔みたいだ
人間の行き過ぎた開発への神の裁きを表わしているのかも

多くの炭鉱や廃棄された採石場、汚染された湖や川が国中に溢れている[……]このような荒廃した場所の一つの有効活用法は、『アース・アート*』による土地と水資源の再利用である。[……]アートが環境保護運動家と産業資本家の調停役となりうるのだ。環境と産業は一方通行ではなく、お互いに交差すべきである。両者の間に必要な弁証法をアートによって与えることができる。

(Robert Smithson, "Untitled 1971," *The Writings of Smithson*, NewYork University press, 1979, p. 220.)

*「ランド・アート」は「アース・ワーク」「アース・アート」と呼ばれることもある。

特徴的な螺旋の形は湖の中心部で起こる渦巻や湖の塩の結晶の形に由来していると言われるほか
スミッソンが湖で感覚したエネルギーに基づいているっぽいのぜ
スミッソンは赤い湖を血液や生肉にたとえながらそれが照りつける太陽のもとで異様なエネルギーを発していると記述していた
作品についての映像*も作っているんだけど空中から作品を回転するように撮影していて見ていると目が回るのぜ
意欲的に制作に取り組んでいたスミッソンだったが1973年6月現場の調査のためにのっていた飛行機が墜落して死去した
はあはあ ぜいぜい

* Robert Smithson, Spiral Jetty(film),1970.

やっと完成した……！
＊実際には完成まで9日間の作業日数が必要で、600人以上の作業員が関わった。
おーーーし
もうひと作品いくで！
おーーー！
えーっ
1980-83 マイアミ州
今度は夫婦で作品を制作していたクリストとジャンヌの制作を手伝うで
2人は自然や建造物を布で包んだり覆ったりする作品で知られているのだ
ランド・アートのように自然だけを扱うわけではないので「環境アート」というのがふさわしいでしょうか
クリスト
（1935〜2020、ブルガリア王国）
&
ジャンヌ=クロード
（1935〜2009、仏領モロッコ）

これが2人の作品か〜！
《ヴァレー・カーテン》1970-72
アメリカ合衆国、コロラド州
幅381mにわたって、18,600㎡のオレンジの布が
峡谷にかけられた。本来何もない谷間の空間に
布がかけられることで、谷の形が鮮やかに現れた。
強風のため、設置から28時間で撤去。
《包まれた海岸線》1969
オーストラリア、リトルベイ
92,900㎡におよぶ耐腐食性布と、長さ56kmのロープ
を使って海岸線を包んだ。包まれた期間は10週間。
布で覆われることで、岩や植物の形は見えなくなったが
海岸線自体の輪郭がくっきりと示された。
《包まれたポン・ヌフ》1975-85
フランス、パリ
パリで一番古い橋であるポン・ヌフを包むプロジェクト。
2週にわたって、橋と街路灯が黄色の布で包まれた。
包んでいる間も橋を渡ることは可能で、人々は作品の上を
行き来しながら楽しんだ。

《傘》1984-91
日本、茨城県／アメリカ合衆国、カリフォルニア州
茨城県(左)とカリフォルニア州(右)で3100本の傘を広げるプロジェクト。
傘の大きさは高さ6m、直径9m。
日本では19km、カリフォルニアでは29kmにわたって18日間広げられた。
何を思ってこうした作品を作るんだろう
公共の場にそれまでなかったものを突然に作り出し
人々に自分の感覚というものを見直したり再認識してもらう
(アルバート・メイズルス『クリスト&ジャンヌ=クロード アイランズパリのクリスト』2006年)
しかしこれだけの規模で制作するとなると準備が大変そうですね
ジャンヌもそう言ってるのぜ
一番難しいのは許可を得るということです。世界中のすべてのもの、すべての場所は誰かに属しています。
(『クリスト&ジャンヌ=クロード講演会』慶應義塾大学教養研究センター編、慶應義塾大学教養研究センター、2007年、14頁)
スポンサーも一切つけずスケッチや模型などを売って資金としているのぜ
たしかにスポンサーがいるとその意見を取り入れる必要が出てくるので純粋な創作では無くなってしまいそうですね

今回は《囲まれた島々》の制作を手伝うで
フロリダ州マイアミにある11個の無人島をピンク色の布で囲むプロジェクトや
エメラルド色の海に人工的なピンクを合わせることで
マイアミの光の明るさを際立たせることを意図しているそうです
——マイアミ市議会
島を包むには市議会の承諾を得なくてはいけないのだ
反対だ自然をこんなことに利用するなんて私は不愉快だ
議員A
賛成よ島の魅力が増すと思わない？
議員B
プロジェクトに疑問を感じる反対だ
議員C
なかなか賛成してもらえないのぜ……
根底にアートへの無理解がある
もし同じものであっても何百万ドルのハリウッド映画なら反対されない
たとえ島を燃やしたっていいのさ*

＊メイルズ、前掲DVD

その後クリストたちは
作品の写真イメージを
販売して
そのお金を島周辺の
環境保護に充てると
約束したことで
市議会からの承認を得た
そっちを持ってー！
行進するで！
布を広げて～
完成～～～～！
まるで睡蓮のようで美しいです
《囲まれた島々》
1980-83、アメリカ合衆国フロリダ州

風や波によって布の表情が変わって綺麗なのぜ
作品に必ず布を使うのは布が儚さを象徴するからなのだ
たしかに作品はすべて短期間で消えていってしまうもんね
＊本作は準備には3年以上かかっているが、展示期間は2週間ほどであった。
202X 京都
JR 京都 Kyoto Station
つ
疲れた〜〜〜あ
わぁ
あぁ
今日、京都は送り火の日なんや

五山送り火《ござんのおくりび》
大
法
妙
お盆に帰ってきた先祖の精霊を再び送るための伝統行事で
京都市内から見える5つの山に文字や形が灯される
昔から人間は大地など自分よりも広大な存在を見つめることで気持ちを昇華させてきたのかもしれませんね
大
……
20世紀の芸術はわけわからないところも多かったけど
チラ

30分ほどの間
人々は火を見つめながら
静かに祈りをささげる
日本の美術や文化と
考え方が似ている
ところもあったし
案外
僕に向いて
たりして……
ぼそ
研究テーマ
変えよっかな……
えっ!?
#07 Fin

ランド・アート／環境アート作品マップ

本編に出てきた作品の場所を紹介

アメリカ合衆国
ネヴァダ州
マイケル・ハイザー
《亀裂1
ナイン・ネヴァダ・
ディプレッションズ》
1968

ニューヨーク州
ウォルター・デ・マリア
《ニューヨーク・アース・ルーム》
1977

コロラド州
クリスト&ジャンヌ=クロード
《ヴァレー・カーテン》1970-72

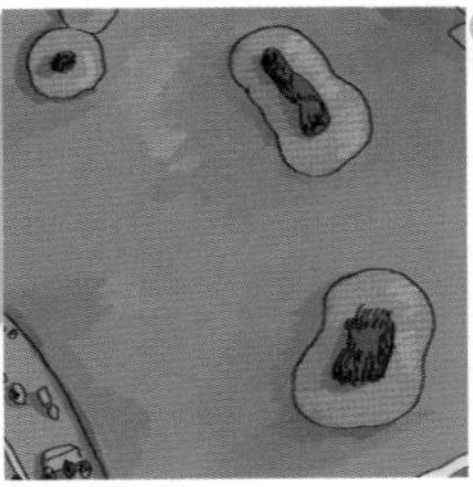

フロリダ州
クリスト&
ジャンヌ=クロード
《囲まれた島々》
1980-83

カリ
フォルニア州
マイケル・ハイザー
《浮遊する塊》2012

ニューメキシコ州
ウォルター・デ・マリア
《ライトニング・
フィールド》
1977

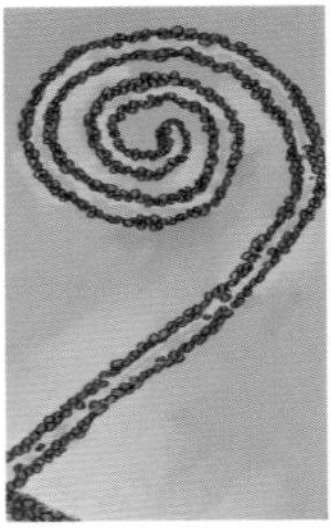

ユタ州
ロバート・スミッソン
《スパイラル・ジェティ》
1970

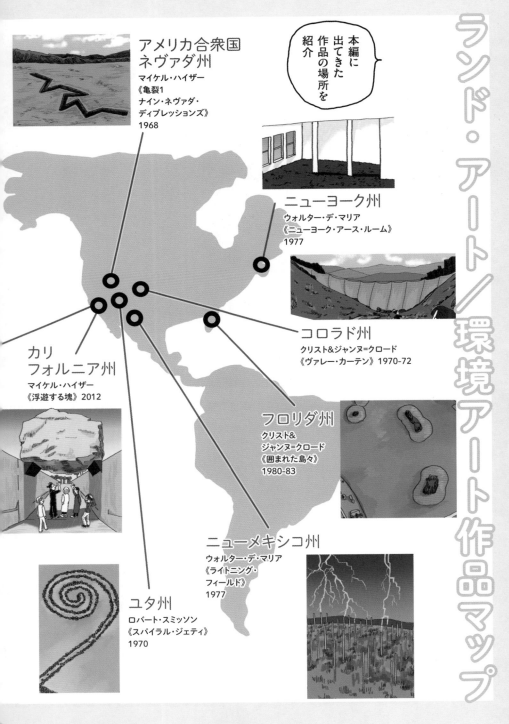

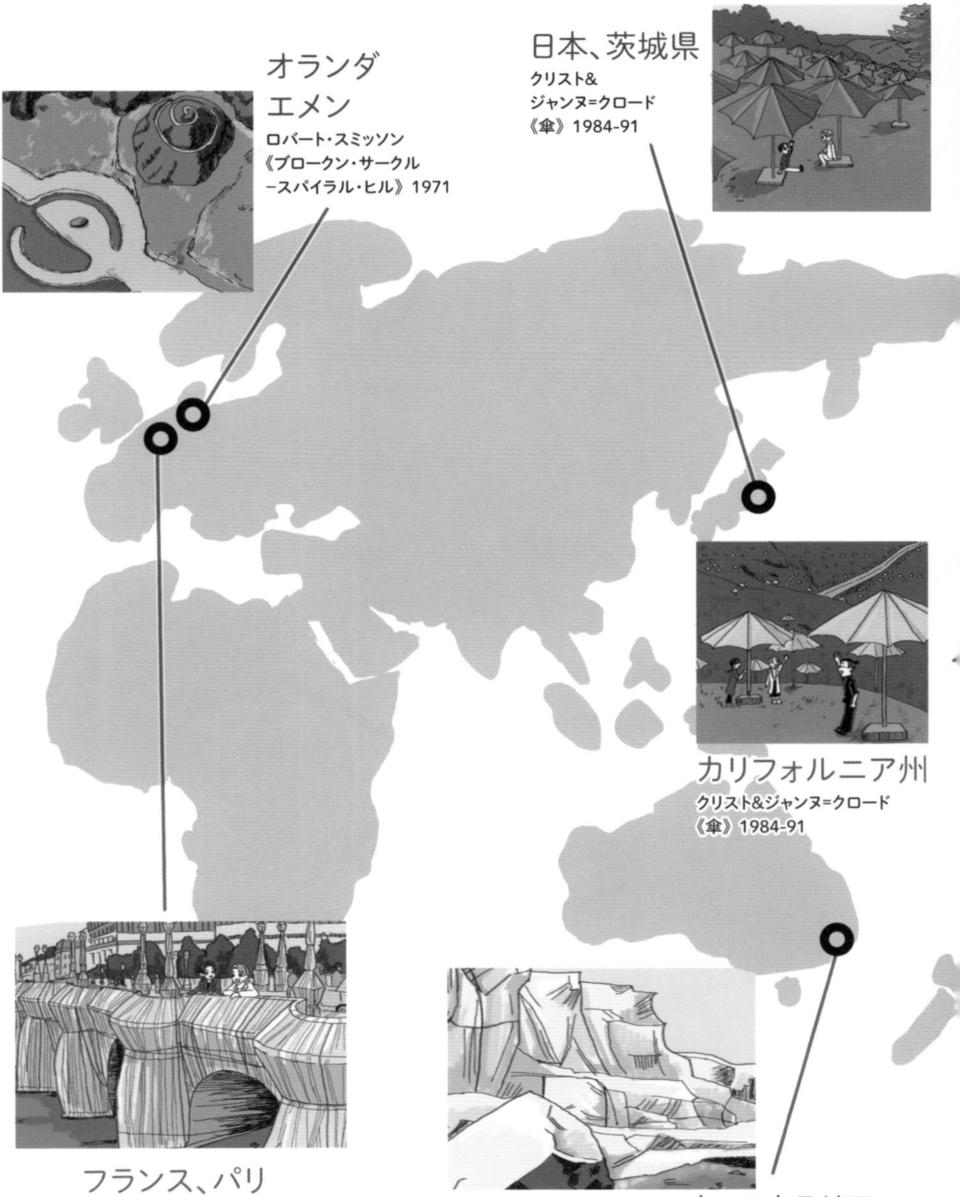
オランダ
エメン
ロバート・スミッソン
《ブロークン・サークル
–スパイラル・ヒル》1971
日本、茨城県
クリスト&
ジャンヌ=クロード
《傘》1984-91
カリフォルニア州
クリスト&ジャンヌ=クロード
《傘》1984-91
フランス、パリ
クリスト&ジャンヌ=クロード
《包まれたポン・ヌフ》1975-85
オーストラリア
リトルベイ
クリスト&ジャンヌ=クロード
《包まれた海岸線》1969

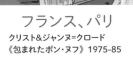

COLUMN

宇宙からの光を作品に ～ジェームズ・タレル～

ジェームズ・タレル
（1943～、アメリカ合衆国）
光に包まれることで精神的な解放感を味わう人もいるんやって
金沢21世紀美術館に設置されている作品 1秒として同じ光はないことを体感できるのぜ
火山内部に光を体感するための部屋が15室作られている

《ダートゥ》2009

《ブルー・プラネット・スカイ》2004

《ローデン・クレーター》1974～

タレルは光そのものを素材とする作品を1960年代後半から制作してきた。彼が光に関心を抱くようになったのは、飛行中に周囲を均一な光に包まれる「ガンツフェルト」という現象を体験したからだ。《ダートゥ》は、そうした体験をもとにした作品である。光で満たされた空間に入った者は、異様な知覚を体感するという。

また《ブルー・プラネット・スカイ》のように、天井を切り取って空のみが見えるようにした作品では、季節や時間とともにうつろう空の光を純粋に感じ取ることができる。

現在も制作中の《ローデン・クレーター》は、アリゾナ州の火山内部にある光を体感する施設だ。世界で最も澄んでいると言われるアリゾナの光を体感できる日が待ち遠しい。

人間と大地／環境との関わりを問う作品たち

アンディー・ゴールズワージー

（1956〜、イギリス）

《アイス・ピース》1987年1月7-8日/10-11日
スコットランド地方ダムフリーシャ

薄氷の破片をくっつけて岩間でバランスをとった作品。
作品の多くは短時間で崩れてしまうため、
写真で記録している。

蔡國強

（1957〜、中国）

《キノコ雲のある世紀》1996年2月13日
ネヴァダ州の核実験場跡地

蔡はこの地が将来観光名所となり得るかを
調査する目的で訪問し、この作品を生んだ。

アナ・メンディエタ

（1948〜85、キューバ）

《無題（「シルエッタ」シリーズより）》1979
アイオワ州アマナ

大地と女体が一体化するかのような作品。
メンディエタは原始美術に深い関心を
寄せていた。

人間は、生きている間は当然のこと、死んで物質となった後も、大地／環境と何らかの関係を結ばざるを得ない。それゆえ、作家たちはさまざまなかたちで、自らと大地／環境との関係を探ろうとする。

　ゴールズワージーは、石や枝、雪など偶然見つけた自然物を素材とする作家である。それらを秩序立てて組み合わせることで、自然の中における人為性の奇妙さを浮かび上がらせる。

　火薬を使用する作品で知られる蔡は、核実験場跡地で原爆を思わせるキノコ雲を発生させることで、この地の記憶を改めて印付けた。

　メンディエタは泥に埋まったり、葉や花を血で染めたりして、自らの存在を自然と一体化させる。彼女の作品は、治癒的な儀式とも考えられている。

ランド・アート／環境アート をもっと知るためのブック・DVDガイド

ジェフリー・カストナー編
『ランドアートと環境アート』
宮本俊夫訳、ファイドン、2005年

ランド・アート／環境アートの草創期からの多様な作品が、豊富な写真とともに紹介される。各作家の詳細なプロフィールも掲載されており、ランド・アート／環境アートを知るための必読本と言える。

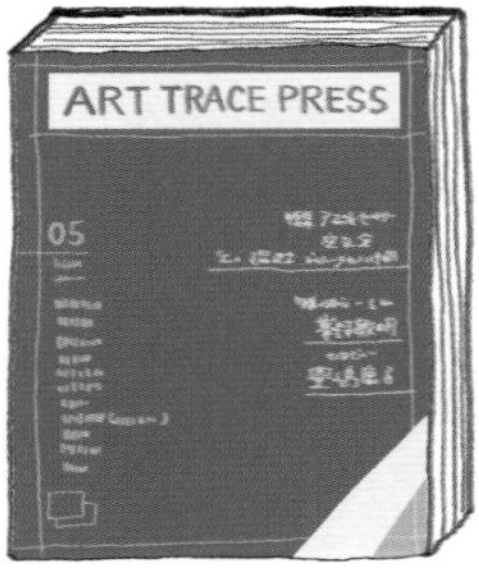

松井勝正
「ロバート・スミッソンのエントロピーの美学」
『ART TRACE PRESS 第5号(SUMMER 2019)』
Art Trace、2019年、32〜47頁

スミッソンは熱力学におけるエントロピーの概念を利用した独自の美学を構築していた。あらゆる物は時間とともに壊れゆき、やがて死へと向かうというその美学が、作品にいかに反映されているかについて論じられている。

アルバート・メイズルス
『クリスト&ジャンヌ=クロード
アイランズ パリのクリスト』
2006年

クリストとジャンヌが、マイアミの島々やパリの橋を包むプロジェクトを記録したドキュメンタリー DVD。行政との粘り強い交渉や、ボランティアと協同で作品を完成させていく姿に、2人の並々ならぬ熱意を感じる。

『クリスト&ジャンヌ=クロード講演会』
慶應義塾大学教養研究センター編、慶應義塾大学教養研究センター、2007年

2006年に行われた2人の講演記録。作品の裏側や、2人の中でのルール、鑑賞者の視点の持ち方などについて詳細に語られている。当時の会場の雰囲気を感じ取ることができるような、臨場感溢れる貴重な記録である。

Contemporary Art
めくるめく現代アート

おわりに

このような突飛な本を最後までお読みくださり、本当にありがとうございます。

最後に、本書における「芸術」「美術」「アート」の言葉の使い分けについて解説します。お気づきのとおり、この本には３つの言葉が頻出するのですが、それぞれが指し示す意味は微妙に異なっています。

「美術」は、絵画や彫刻、工芸など視覚的な作品を指し示す言葉です。そこで目指されるのは、この語に示されているとおり、美しい作品であることが多いでしょう。対して「芸術」は、美術だけではなく音楽や建築なども含む言葉で、人間の文化的所産を総称する言葉だと考えます。そして「アート」は、「芸術」のように広い範囲の作品を指しますが、美しさよりも新しさを求める作品を示す言葉として使用しています。

こうした用語の使い分けは、登場人物の発言にも影響を与えています。主人公である若桑あおは、美しさを表現する作品を好むため、「アート」という言葉を使いません。彼は、頑に「美術」「芸術」という語を使います。しかし、他の登場人物たちは、既成の価値観を塗り替える作品を好むため「アート」という言葉を使用しています。

20世紀の作品は、視覚だけではなく、聴覚・触覚・嗅覚・味覚といった五感を総動員して鑑賞する作品も少なくありません。とすると、「美術」という用語では収まらず、「芸術」あるいは「アート」という言葉で表わす方がふさわしいように感じます。とはいえ、この本が扱う範囲の作品は、一般に「美術」と案内した方が適切であろうとの判断から、タイトルにはこの語を採用しました。

もちろん、これらの言葉の定義は厳格に決められているわけではありません。芸術と呼ばれる営みが究極的には定義不可能であるように、それぞれの言葉の使い方も時代とともに変化していくことでしょう。

本書で扱うことができたのは、20世紀の作品の中でもほんの一握りのものです。しかし、この一握りを描くのに、2年という歳月を要しました。辛抱強く支えてくださった編集の西山さん、素敵なデザインを与えてくださった佐藤さんに心より感謝いたします。

1 マルセル・デュシャン

瀧口修造**『コレクション 瀧口修造 第3巻：デュシャン 詩と美術の周囲 骰子の7の目 寸秒夢』**みすず書房、１９９６年

田中正之ほか**『現代アート10講』**武蔵野美術大学出版局、２０１７年

フランシス・M・ナウマン、エクトール・オパルク編**『マルセル・デュシャン書簡集』**北山研二訳、白水社、２００９年

Beatrice Wood, *I Shock Myself: The Autobiography of Beatrice Wood*, Lindsay Smith(ed.), Chronicle Books, 1992.

Malcel Duchamp(unsigned), "The Richard Mutt Case," *The Blind Man*, No. 2, 1917, p. 5.

Louise Norton, "Buddha of the Bathroom," *The Blind Man*, No. 2, 1917, pp. 5-6.

2 抽象絵画ー ワシリー・カンディンスキー

ヴァシリー・カンディンスキー**『点と線から面へ』**宮島久雄訳、ちくま学芸文庫、２０１７年

西田秀穂**『カンディンスキー研究：非対象絵画の成立――その発展過程と作品の意味』**美術出版社、１９９３年

二見史郎**『抽象の形成：ゴッホからモンドリアンまで』**紀伊國屋書店、１９７０年

本江邦夫監修**『すぐわかる画家別抽象絵画の見かた』**東京美術、２００５年

ラモン・ティオ・ベリド**『カンディンスキー』**清水敏男訳、岩波書店、１９９３年

ワシリー・カンディンスキー**『抽象芸術論：芸術における精神的なもの』**西田秀穂訳、美術出版社、２０００年

ワシリー・カンディンスキー**『芸術と芸術家：ある抽象画家の思索と記録』**西田秀穂、西村規矩夫訳、美術出版社、２０００年

『カンディンスキーと青騎士：レンバッハハウス美術館所蔵』三菱一号館美術館ほか編、東京新聞、２０１０年

『アートコレクターズ』No.１４４、２０２１年３月号、生活の友社、２０２１年

水上勉、泉武夫**『水墨画の巨匠第七巻 白隠・仙厓』**講談社、１９９５年

3 シュルレアリスム

巖谷國士監修・著『**〈遊ぶ〉シュルレアリスム**』平凡社、２０１３年

サイモン・ウィルソン『**シュルレアリスムの絵画**』新関公子訳、西村書店、１９９７年

ジャクリーヌ・シェニウー＝ジャンドロン『**シュルレアリスム、あるいは作動するエニグマ**』齊藤哲也編、鈴木雅雄ほか訳、水声社、２０１５年

塚原史『**ダダ・シュルレアリスムの時代**』ちくま学芸文庫、２００３年

マシュー・ゲール『**ダダとシュルレアリスム**』巖谷國士、塚原史訳、岩波書店、２０００年

マックス・エルンスト『**百頭女**』巖谷國士訳、河出文庫、１９９６年

4 抽象絵画II ジャクソン・ポロック

エリザベス・フランク『**ジャクスン・ポロック**』石崎浩一郎、谷川薫訳、美術出版社、１９８９年

笠嶋忠幸『**日本美術における「書」の造形史**』笠間書院、２０１３年

ハロルド・ローゼンバーグ『**新しいものの伝統**』東野芳明、中屋健一訳、紀伊國屋書店、１９６５年

バルバラ・ヘス『**抽象表現主義**』タッシェン、２００６年

『**ＡＲＴ ＴＲＡＣＥ ＰＲＥＳＳ 特集ジャクソン・ポロック**』ＡＲＴ ＴＲＡＣＥ、第1号、２０１１年

『**ジャクソン・ポロック**』レオンハルト・エマリング編、タッシェン・ジャパン、２００６年

『**生誕１００年 ジャクソン・ポロック展**』愛知県美術館、東京国立近代美術館、読売新聞東京本社文化事業部編、読売新聞東京本社、２０１１年

『**20世紀絵画の新大陸：ニューヨーク・スクール——ポロック、デ・クーニング…そして現在**』東京都現代美術館、読売新聞社文化事業部編、読売新聞社、１９９７年

『**ユリイカ 増頁特集ポロック**』青土社、１９９３年2月号

Kirk Varnedoe, *Jackson Pollock*, The Museum of Modern Art, New York, 1998.

5 ポップ・アート　アンディ・ウォーホル

アンディ・ウォーホル『**ぼくの哲学**』落石八月月訳、新潮社、１９９８年

エリック・シェインズ『**ウォーホル**』山梨俊夫監訳、前田希世子訳、二玄社、２００８年

ジェイミー・ジェイムズ『**ポップ・アート**』福満葉子訳、西村書店、２００２年

ジョセフ・D・ケットナー2世『**アンディ・ウォーホル**』藤村奈緒美訳、青幻舎、２０１４年

林卓行『**西洋絵画の巨匠9 ウォーホル**』小学館、２００６年

『**アメリカン・ポップ・アート展**』南雄介監修、国立新美術館、ＴＢＳテレビ編、ＴＢＳテレビ、２０１３年

『**アンディ・ウォーホル展 永遠の15分：森美術館10周年記念展**』近藤健一、佐々木瞳、竹見洋一郎編、美術出版社デザインセンター、２０１４年

『**美術手帖 特集アンディ・ウォーホルのＡＢＣ**』美術出版社、２０１４年３月号

6 コンセプチュアル・アート　ヨーゼフ・ボイス

アンドレス・ファイエル監督『**ヨーゼフ・ボイスは挑発する**』２０１７年

フォルカー・ハーランほか著『**ヨーゼフ・ボイスの社会彫刻**』伊藤勉ほか訳、人智学出版社、１９８６年

ミヒャエル・エンデ、ヨーゼフ・ボイス『**芸術と政治をめぐる対話**』丘沢静也訳、岩波書店、１９９２年

『**ＢＥＵＹＳ ＩＮ ＪＡＰＡＮ ヨーゼフ・ボイスよみがえる革命**』水戸芸術館現代美術センター編、フィルムアート社、２０１０年

7 ランド・アート／環境アート

柳正彦『**〈新版〉ライフ＝ワークス＝プロジェクト：クリストとジャンヌ＝クロード**』札幌宮の森美術館、２０１６年

Christo and Jean-Claude, *Christo and Jeanne-Claude: Barrels/Barils*, Verlag Kettler, 2016.

Jacob Baal-Teshuva, *Christo and Jeanne-Claude*, Taschen, 2016.

Robert Smithson, *The Collected Writings*, University of California Press, 1996.

Robert Smithson, *Spiral Jetty* [film], 1970.

Christo and Jeannne-Claude, https://christojeanneclaude.net/

Holt Smithson Foundation, https://holtsmithsonfoundation.org/

James Turrell, https://jamesturrell.com/

(＊ブックリストに記載のものは除く)

筧 菜奈子 Kakei Nanako

東京藝術大学美術学部芸術学科卒業。京都大学大学院人間・環境学研究科博士後期課程修了。博士（人間・環境学）。東海大学教養学部芸術学科講師。専門は現代美術史、装飾史。研究のほか、イラスト執筆やデザイン提供など幅広い領域で活動している。著書に『めくるめく現代アート――イラストで楽しむ世界の作家とキーワード』（フィルムアート社）、『ジャクソン・ポロック研究――その作品における形象と装飾性』（月曜社）、『日本の文様 解剖図鑑』（エクスナレッジ）、翻訳書にブルック・ディジョヴァンニ・エヴァンス『みつけて！アートたんてい――よくみて、さがして、まなぼう！』（東京書籍）、共訳書にティム・インゴルド『ライフ・オブ・ラインズ――線の生態人類学』（フィルムアート社）などがある。

いとをかしき20世紀《せいき》美術《びじゅつ》

2023年1月9日　第1版第1刷発行
2024年8月8日　第1版第2刷発行

著　　者　筧菜奈子

発 行 者　株式会社亜紀書房
〒101-0051
東京都千代田区神田神保町1-32
電話 (03)5280-0261
https://www.akishobo.com

デザイン　佐藤亜沙美（サトウサンカイ）
印刷・製本　株式会社トライ
https://www.try-sky.com

ISBN978-4-7505-1776-6　C0070